JN114618

関係性の美学

関係性の美学

Esthétique relationnelle

Nicolas Bourriaud
ニコラ・ブリオー

辻憲行訳
Noriyuki Tsuji

水声社

凡例

一、本書は、以下の日本語訳である。Nicolas Bourriaud, *Esthétique relationnelle*, Dijon, Les presses du réel, 1998.

一、諸符号の使用については原則として以下の通りとする。（ ）やダーシは原文にない場合でも文意を通すため用いる場合がある。原文におけるフレンチダブルクォートは〈 〉、原文のイタリックによる強調は傍点、原文のダブルクォートは「 」、〔 〕は翻訳者による註記および補足を示す。年号や固有名については原文のまま表記し、単なる誤記については〔 〕で修正する。

一、作品名について。映画作品、書物、雑誌には『 』を、展覧会名、書籍や雑誌中の論文、短編・詩などに関しては「 」を、それ以外の広く一般に芸術作品として受容され、流通しているものに関しては《 》を用いる。

一、本文中の原語指示に関しては原則ルビとして付すが、傍点と重複する場合や原語を示すために［ ］を用いる、あるいは読みやすさを考慮して省略する等、適宜操作する。また追跡性向上のため、展覧会名、作品名については原則的に、その他適宜必要と思われる固有名については原語表記を本文中に［ ］を用いて示す。

一、文献に邦訳が存在する場合は可能な限り参照し、文脈に応じて訳文に適宜変更を加えた。原注で頁数が明記されていない引用箇所に関しても可能な限り原書および邦訳を確認して頁数を示した。

目次

序

一九九〇年代のアートは、理論的言説の欠落によって誤解に晒されている。大多数の批評家や哲学者たちは、同時代の実践の全貌を把握しようとすらせず、それに対して嫌悪感を抱いているようだ。その結果、一九九〇年代のアートの独自性や正当性は、解決済みであるにせよ未解決であるにせよ、先行世代が取り組んだ問題の分析によっては認識することができないために、本質的に理解不能なものとして放置されている。どれほど辛くとも、ある種の問題はもはや議論の俎上にも上がらないという事実を受け入れなければならない。その上で今日のアーティストにとって固有の問題を特定する必要がある。コンテンポラリー・アートの実際の争点（アンジュー）とはいったい何か。それは、社会、歴史、文化とどのように関係しているのか。批評家の第一の仕事は、特定の時代に立ち上がる諸問題の「入りくんだ争点」を再構成し、提示されたさまざまな応答を仔細に検討することであり、過去の問題を列挙し解決策が得られなかったことを嘆くことではない。さて、そうした新しいアプローチに関する第一の問いは、言うまでもなく作品の物質的形式に関するものである。[一]それがプロセスや行為とみなされようとも、いずれにせよ伝統的な基準に対して〈破壊的〉なアプローチを取る、一見とらえがたい制作物を、一九六〇年代の美術史[二]の影響を振り切った上でどう解読するのか、それが問われているのである。

いくつか具体的な事例を挙げてみよう。リクリット・ティラヴァーニャはコレクターの家で夕食会を催し、タイのスープ料理に必要な食材や調理器具をコレクターに渡した。フィリップ・パレーノは五月一日（メーデー）に知人を集め、ぬいぐるみに着せるTシャツを、流れ作業で制作する作業に従事させた。ヴァネッサ・ビークロフトは似たような赤い衣装とかつらを着用させた二十人ほどの女性たちを展覧会場に立たせ、観客に眺めさせた。マウリツィオ・カテランはチーズ——商品名「ベル・パエーゼ」〔イタリア語で「美しい国」。イタリア自体の別称でもある〕——を餌に与えて育てたネズミをマルティプル作品として販売し、金庫破りにあった金庫を彫刻作品として展示した。ジェス・ブリンチとヘンリック・プレング・ヤコブセンは、都市暴動の後の光景を想起させるようにコペンハーゲン市内の広場でバスを横倒しにした。クリスティーン・ヒルはスーパーでレジ打ちとして働き、週に一度ギャラリーでワークアウトを開催した。カールステン・ヘラーは恋愛状態の人の脳から分泌される物質を合成し、空気で膨らむビニール製ヨットを製作し、ズアオアトリに新しいさえずりを覚えさせる様子をヴィデオで記録した。平川典俊は展覧会協力者として若い女性を募集するために、小さな個人広告を新聞に出稿した。ピエール・ユイグは展覧会の会期中に素人俳優を集めたオーディションを開催し、市民が自由に使うことができるテレビ局を作り、工事中の労働者を撮影した写真を工事現場のすぐそばに掲示した[三]……。ここには、さらに多くの名前と作品を追記することができるだろう。いずれにせよ、アートというチェス盤上で最も活発な展開を見せているのは、相互的、交歓的（コンヴィヴィアル）[四]、関係的な局面なのである。

今日、コミュニケーションは〔効果的な広告手段として利用され〕、社会的なつながりを特定の商品の消費へと切り分けて管理する空間に、人々の接触を閉じ込めてしまう。一方で芸術活動は、ささやかなつながりを作り出し、閉ざされた通路を開き、隔てられた現実の諸次元をひとつにしようと務める。高名な「コミュニケーション・スーパーハイウェイ[五]」は、キャッシャーやレジャー空間を備え、人間世界の移動経路を独占し、高速道路が移動をより高速化し、より効率化する一方で、利用者を走行距離とその副産物の単なる消費者に変えてしまうのと同様の悪影響を、我々のコミュニケーションに及ぼすかもしれない。電子メディア、テーマパーク、歓楽的な空間、社交性の代替物を提供するさまざまな形式が普及する中、我々はチーズのかけらが散らばった檻の中で、永遠に変えられない運命を宣告された実験用ネズミのように、自分たちが貧しく、無力であることに気づくこととなる。こうして、エキストラの社会では、時間と空間の消費者こそが理想的な主体とみなされるのである。

今や市場価値を持たないものは消え去る運命にある。やがて、商業空間の外部では人間同士の関係は成り立たなくなってしまうだろう。さあ、現代の人間関係を象徴する適正価格の飲み物について話そう。二人で暖かさと幸福を分け合いたい？　それなら私どものコーヒーを召し上がれ、というわけだ……。このように、全面的な商品化の傾向は、現在の人間関係の空間に強烈な打撃を加えている。商品によって象徴され、あるいは商品に取って代わられ、ロゴマークによって示される人間の相互関係は、予測可能性の帝国から逃れるために、極端な、あるいは秘教的な形式をとらざるをえないだろう。社会的紐帯は、標準化された人工物に形を変えられたのだ。分業化と超専門化、機械化と収益性が支配する世界では、人間関係を管理可能かつ反復可能な、単純な原理に従属させるように誘導することこそが、支配権力の最優先事項となる。この関係の経路を脅かす究極の〈分離〉は、ギー・ドゥボールが描写した〈スペクタクルの社会〉への移行の最終段階である。その段階に達した社会では、もはや人間関係は〈直接経験される〉ものではなくなり、〈人目を引く（スペクタキュレール）〉表象の中へ遠ざかって行くのである。ここに、今日のアートにおける最も切実な問題がある。伝統的に世界の〈表象〉を取り扱うことに専心してきた活動の場――美術史を振り返ろう――において、今なお世界との現実的な関係を生成することは可能なのだろうか？ドゥボールは、アートの世界を日常生活において具体的に〈実現〉されるべき事例の貯蔵庫とみなしたが、それに反して現代の芸術的実践は、社会的実験をはぐくむ肥沃な土壌と、行動の画一化から部分的に保護された空間を提供している。本書が考察の対象とする作品は、すべて手の届くユートピア[六]の設計図なのである。

本書所収のいくつかの論考は、もともと雑誌――多くは『アートに関する記録［*Documents sur l'art*］』誌――や展覧会カタログに掲載されていたものである。[1] しかし本書の刊行にあたり、それら既出の論考には大幅な改訂を加えた。そのほかの論考は本書が初出となる。[七] 読者が問題となる言葉や概念に行き当たった際に参照できるよう、巻末には語彙解説を付した。本書の理解をより容易にするために、今すぐ〈アート〉の項目を参照されるようおすすめしておこう。

第一章

関係的な形式

芸術活動は、その形式、様相、機能が時代や社会的文脈に応じて変化するある種のゲームであり、そこには不変不動の本質など存在しない。したがって批評家の仕事はゲームの現在について考察することである。近代のプログラムのある側面は、完全にその働きを終えている（しかし、それを動かしていた精神が活動をやめたわけではないということを、この小市民の時代には強調しておかなければならない）。近代のプログラムが終了したことにより、我々が受け継いだ美的判断基準の実質もまた失われてしまったのだが、それにもかかわらず、我々は現代の芸術的実践にも同じ基準を適用し続けている。新しさはもはや価値判断基準ではない。ただし、いまだにモダン・アートを中傷する時代遅れの人々は、彼らが属している伝統主義の文化に教えられた、モダン・アート〔l'art d'hier〕の嫌悪すべき特性〔＝新しさ〕のみを、現在のアートの中にも見出そうとしているのである。現在の芸術的実践を評価するための、より効果的な道具と、より妥当な基準を作り出すためには、今まさに社会的領野で生じている変化を――既に変化したものと、今もなお変化の途上にあるものとを――把握する必要がある。アーティストと我々の両方を等しく取り巻いている状況について考察することなく、一九九〇年代の展覧会において明示された芸術的行動と、その背景にある思考様式を理解することなどできないのだから。

現代の芸術的実践とその文化的プロジェクト

啓蒙思想から生まれた近代政治思想は、個人と諸民族を解放しようとする意志によって動機付けられていた。技術の進歩や自由権の確立、教育の普及、労働状況の改善は、人類を自由にし、よりよい社会へ導くものと信じられていたのである。しかし近代性には複数のヴァージョンが存在する。二十世紀は三つの世界観――十八世紀に端を発する近代合理主義、非合理性に基づく自発性と解放の哲学（ダダイスム、シュルレアリスム、シチュアシオニスム）、そして、この二つと完全に対立する、人間関係を規格化し、個人の隷属化を推し進める権威主義的で功利主義的な欲望――が競い合う闘技場だったのである。(一) その結果、期待された解放は実現せず、技術の進歩と〈理性〉は、生産プロセスの全面的合理化を通じて南半球諸国からの搾取を可能にし、人間の労働力はやみくもに機械に置き換えられ、隷属化の手法は際限なく洗練されることになった。解放を目指した近代の計画は、数え切れないほどの哀しみをもたらしたのである。

ダダイスムからアンテルナシオナル・シチュアシオニスムまでの二十世紀の前衛運動は、(文化、メンタリティ、個人生活と社会生活の変革を目指す) 近代の計画の進行と歩みを共にするものではあった。しかし我々は、近代の計画が前衛に先行して存在していたということ、前衛の企図とは多くの点で異なるものであったことを忘れてはならない。近代性は合理主義的な目的論にも、政治的メシア主義にも還元されえないのだから。生活や労働条件の改善を具体的に実現しようとする試みが、全体主義イデオロギーと素朴な歴史観の抑圧によって失敗に終わったことを口実にして、改善を望む意志そのものを否定できるだろうか。かつて前衛と呼ばれていたものは、確かに近代的合理主義によって満たされたイデオロギーの〈浴槽〉から現れたのだが、我々と同時代の前衛はまったく異なる哲学的、文化的、社会的前提に基づいて再構成されつつある。啓蒙主義の哲学者たちや、プルードン、マルクス、ダダイスト、モンドリアンらが目指した方向へと、知覚的、実験的、批判的、参加的モデルの提案を試みている現在のアートが、かつての闘いを引き継いでいることは間違いない。しかしこうした実験の正当性や価値について、世論の正当な理解を得ることは困難である。それは、必然的な歴史的進化の前兆としてではなく、断片的で孤立した実験として、イデオロギーに満ちた包括的世界観から取り残されているように見えているのだから。

死んだのは近代性そのものではなく、その理想主義的、目的論的ヴァージョンに過ぎないのだ。斥候としての前衛がパトロールをやめ、確立された陣地の周りで動かなくなったことを除けば、近代性の実現を目指す戦いは、これまでと同じように続いている。かつて世界の未来を準備し予告するものとされていたアートは、今日では可能な宇宙のモデルを提示するものとなったのだ。

歴史的近代の後流に自らの実践を位置づけるアーティストたちが望むのは、モダン・アートの形式や公準を反復することではないし、現在のアートに同じ役割を割り当てることでもない。そうしたアーティストたちの務めは、ジャン＝フランソワ・リオタールによってポストモダン建築に割り当てられたものに似ている――ポストモダン建築は、「近代から受けついできた空間において一連の小さな変更を生みだすように、そして人類の住む空間の包括的な再建などは放棄してしまうようにと、宣告を受けている」[1]。ただしリオタールはこの事実を半ば嘆いているように思われる――「宣告を受けている」という表現から察するに、彼はポストモダン建築を否定的にとらえているようだ。しかしリオタールの考えとは反対に、この「宣告」が、我々の知るアートの世界を、この先数十年にわたって大きく広げる歴史的機会を生み出したのだとしたらどうだろうか。この〈機会〉は、歴史的進化という思い込みにしたがって世界を構築しようとする代わりに、よりよい世界の住み方を学ぶこと、と要約することができる。言い換えれば、作品は、もはや空想的でユートピア的な現実を構築しようとするのではなく、アーティストがそれぞれの作品において選択する規模において、実在する世界の中で新たな存在様式や行為モデルを構成するのである。アルチュセールによれば、我々はつねに動いている世界という列車を追いかけるのであり、ドゥルーズによれば、植物は根や先端から成長するのではなく、「草は、……それ自身、中間から生える(二)」。アーティストは、自身の生の文脈（アーティストが世界と織りなす知覚的もしくは概念的関係）を持続する宇宙に変えるために、現在によって与えられる状況に身を置くのである。アーティストは動いている世界に途中から乗り込む。ミシェル・ド・セルトーの言葉を借りれば、アーティストは文化の借家人(2)なのだ(三)。いまや近代性は、既存の文化のブリコラージュや再利用、日常的な創意工夫や生きられる時間の編成といった実践の中に引き継がれている。そうした実践は、歴史的近代(イエール)を特徴づけていたメシア主義的ユートピア思想や形式的〈新しさ〉に劣らず、十分に注目と検証に値するのである。コンテンポラリー・アートは文化的もしくは政治的なプロジェクトを持たず、その秩序破壊的な外観には理論的根拠がない、などという主張はまったく馬鹿げたものである。社会生活の急激な変化と、労働条件や文化財［objets culturels］の生産条件に焦点をあてるコンテンポラリー・アートのプロジェクトは、文化進化論の信奉者たちや、〈中央集権的民主主義〉を愛好する知識人たちには取るに足らないものに見えるらしい。マウリツィオ・カテランの言葉を借りるならば、「甘い（ドルチェ）ユートピア」[四]の時代が到来したのだ……。

社会の間隙としての芸術作品

リレーショナル・アート（自律的かつ私的な象徴空間の確立ではなく、人間の相互作用とその社会的文脈を理論的地平とするアート）の可能性、それはモダン・アートが設定した美学的、文化的、政治的な目標の根源的変化を証言することにある。社会学的に解釈するなら、この変化は本質的に、世界的な都市文化の誕生と、この都市文化のモデルがほぼすべての文化現象にまで拡張されたことに由来する。とりわけ第二次世界大戦後に急速に広がった都市化は（交通網の整備、通信技術の発達、遠隔地の段階的開発、それに伴う個人のメンタリティの解放を通じて）、社会的交換を飛躍的に増大させ、個人の流動性を高めた。それに伴い、都市環境における居住空間は狭小化し、家具などの私有財産は、そこで取り扱いがしやすいように小型化することとなった。こうした都市的状況において、芸術作品が領主的富の形態としての役割を長らく果たしてきた（作品の大きさは、住居の部屋数と同じく、持てるものと持たざるものとを区別する指標となる）ことを顧みると、作品の機能や展示様式の変化は、芸術的経験の都市化の過程を証言するものであると言えよう。我々の目前で崩壊しつつあるのは、領土を獲得する感覚で作品を所有しようとする、偽りの貴族的態度に他ならない。現代の作品は領主による〈領地のツアー〉やコレクターによるコレクションのツアーのように、単にざっと見回して通り過ぎるような空間と見なすことはできない。いまや作品は経験の持続として、無制限の議論への入口として提示されるのだ。都市は近接性の経験――社会という状態の具体的な象徴であり、歴史的枠組みでもある――を可能にし、そして一般化させた。アルチュセールによれば、この近接性、すなわち「人間に課された出会い状態(3)」は、隙間なく木々が生い茂る〈平穏〉なジャングルとは対照的である。ジャン＝ジャック・ルソーが説くように、自然状態のジャングルはあらゆる持続的な出会いを妨げるのだ。この集中的な出会いを可能にするシステムは、ひとたび文明の絶対的なルールになったとき、ついに対応する芸術的実践を生み出した――それは相互主観性を基盤とし、共存することや、観客と図像（タブロー）との〈出会い〉、そして意味の集合的構築を中心的主題とする芸術形式である。この現象の歴史性については置いておこう。アートは程度の差こそあれ、つねに関係的であったし、社会的行動の要因であり対話のきっかけとなるものであったのだ。ミシェル・マフェゾリの言葉を借りるなら、イメージは潜在的につなげる力をもっている[五]——旗、略号、アイコン、記号は、共感や分有を通じて、紐帯を生み出すのである。[4] アート（絵画や彫刻から派生した、展覧会形式で公開されるさまざまな実践の総体）が近接性の文化にとりわけ適した表現行為であるのは間違いない。なぜならアートは、視聴者や読者が個人的な作品消費の空間へ追いやられるテレビや文学とも、明確なイメージの前に少人数の集団を召喚する演劇や映画とも異なり——どちらの場合も作品についてその場で議論が起きることはない（その機会は読後や終幕後に先送りされる）——、関係の空間を緊密に編み直すからだ。展覧会では、たとえそれが不活性な形式であっても、即時的かつ無媒介的な議論が可能なのだ——我々は他者と同一の時間と空間を知覚し、語り、移動する。アートは固有の社会的行動を生産する場所なのである。では都市が提供する〈出会い状態〉全体のなかで、この空間はどのように位置づけられるのだろうか。交歓性の諸様態を生み出すことを中心とした芸術形式は、開放を目指した近代のプロジェクトを、どのように再起動させ、補完することができるのか。それは、新たな文化的・政治的展望をどのように描き出すのか。

　具体例を挙げる前に、現代社会を支配している包括的な経済システムの中で、象徴的、あるいは物質的に、作品が占める場所について再考する必要がある。我々にとって芸術作品は、その商品的性格や意味論的価値を越え、社会の間隙を表象するものである。カール・マルクスは、利潤法則を免れ、資本主義経済の枠組みから抜け落ちるような原始的な商業共同体——物々交換、ダンピング、自給自足などによって維持される共同体——を、間隙［interstice］(六)と表現した。間隙は、調和的かつ公然と包括的なシステムに適合しながら、そのシステム内で機能している交換とは別の交換様式の可能性を示唆する人間関係の空間である。それこそさまざまな表象を取引（コメルス）する場としての、コンテンポラリー・アートの展覧会の本質と言える。展覧会は自由な空間と非日常的なリズムを刻む時間を作り出し、お仕着せの〈コミュニケーション・ゾーン〉とは別のしかたで個人間の取引を促すのだから。現在の社会は、そうした取引のための場所を作り出すどころか、人間同士の関係の可能性をますます制限しつつある。自動公衆トイレは、コミュニケーション・ツールを開発し、路上の関係の残滓を一掃し、隣人同士のつながりを失わせたのと同じ精神に基づいて、街路を清潔に保つために考案されたのである。社会機能全般が機械化していくにつれ、具体的な関係の領域はしだいに萎んでいく。ほんの数年前まで、モーニング・コールは人間の仕事だった。しかし、これからは合成音声が我々を目覚めさせるのだ……。キャッシュ・ディスペンサーは、最も基本的な社会的役割が、人間から機械へ移行したことの典型例であり、職業人の行動は、彼らに取って代わる機械の効率性を模範とするようになる。かつて多くの交流、歓び、軋轢の場となっていた仕事を、機械が代行するのだ。関係的な領域の問題に取り組むことによって、コンテンポラリー・アートはその政治的プロジェクトを確かに展開しているのである。

ガブリエル・オロスコは、ブラジルの人気（ひとけ）のない市場の商品陳列棚にオレンジを置き（《クレイジー・ツーリスト》、一九九一年）、ニューヨーク近代美術館の庭にハンモックを吊るす（《MoMAのハンモック［Hamoc en el MoMA］》、一九九三年）。そのとき彼の実践は〈社会の極薄（アンフラマンス）〉[七]——〈大きな〉交換によって構成される上部構造に規定された、日常的な身振りのなかの極小空間——の核心部分に作用しているのである。オロスコの写真作品（草原に置かれた寝袋や空っぽの靴箱）は、都市や半都市の日常のなかで起きる小さな革命の無言の記録であり、他者との関係が作り出す、もの言わぬ生命（〈静物〉、死せる自然（ナチュール・モルト））についての証言なのだ。イェンス・ハーニングはコペンハーゲンの広場に設置されたスピーカーからトルコ語の笑い話を放送し（《ターキッシュ・ジョーク》、一九九四年）、マイノリティとしての立場を逆転させる集団での哄笑を引き起こし、作品との関係の中に、そして作品それ自体として、トルコ移民の極小の共同体を瞬時に作り上げた。さまざまな原理によって組織される展覧会という場は、そのような瞬間的な共同体にとって理想的な舞台である。アーティスト、作品の性質、提案もしくは表象する社会モデル、それら構成要素によって要求される観客参加の程度に応じ、展覧会はそれぞれに固有の〈交換の領域〉を生成する。この〈交換の領域〉は、美学的基準――第一に形式的な一貫性を、次に提示された〈世界〉を、つまり〈交換の領域〉に反映される人間関係のイメージに象徴される意味を分析すること――によって評価されなければならない。この社会の間隙〔＝交換の領域〕のなかで、アーティストは彼自身が象徴的に示している社会的行動のモデルを引き受ける義務を負う。あらゆる表象（コンテンポラリー・アートは社会を再現＝表象するのではなく、むしろ*モデル化*するのであり、社会から着想を得るのではなく、むしろ社会構造に挿入されるのだが）は、社会的実践へと移調可能な価値を反響させるのである。アートは取引（コメルス）に基づく人間活動であり、倫理の対象であると同時にその主体でもあるのだから。ましてアートは他の人間活動と異なり、*取引されること以外の機能を持たない*のだ。

アートとは出会い状態なのである。

関係性の美学と偶然の唯物論

関係性の美学は唯物論の伝統に連なるものである。唯物論的であるということは、自明な事実に固執するということではないし、純粋に経済的な観点から作品を解釈しようとするような偏狭な態度を意味するわけでもない。関係性の美学を下支えする哲学的伝統は、ルイ・アルチュセールがその遺稿の一つ[八]で見事に定義した、〈出会いの唯物論〉もしくは偶然の唯物論である。この唯物論は、世界の偶然性を出発点としており、世界にはいかなる起源も、あらかじめ定められた意味も、目的を与える理性も存在しないとする。そして、人間の本質は純粋に個体を超越するものであり、それは、常に歴史的に形成される社会的形式の中で、諸個人を結びつける紐帯によって構成されるのだ（マルクス――「人間の本質とは、……社会的諸関係の総体なのである」[九]）。〈歴史の終わり〉や〈アートの終わり〉などありえない。例えそれらのゲームの中で特定のプレイが終わったとしても、文脈の変化に応じて、言い換えればプレイヤーの変化とプレイヤーが構築し批判するゲームのシステム変更に応じて、別のプレイがずっと再開され続けるのだから。ユベール・ダミッシュは、〈アートの終わり〉に関するさまざまな言説を、〈ゲームの終わり〉と〈プレイの終わり〉とのやっかいな混同の結果であると断じている。社会状況が根源的に変化すると、ゲームの意味それ自体は問われることなく、新しいプレイの始まりが告げられるのである[5]。それでも、我々の考察対象を構成する人間同士のゲーム（デュシャン「アートはあらゆる時代のあらゆる人々の間のゲームである」）は、我々が便宜上〈アート〉と呼ぶゲームの枠組みを超え出ている。したがって、アンテルナシオナル・シチュアシオニストの〈状況の構築〉は、ギー・ドゥボールによってその芸術的側面を最終的に否認されたにもかかわらず、完全にアートの〈ゲーム〉に属していると言っていいだろう。ドゥボールは〈状況の構築〉を、日常生活の革命による〈アートの超克〉と見なしていたのだから。関係性の美学は、単一の起源や目的を記述する芸術理論ではなく、形式についての理論なのである。

では形式とは何か。形式とは一貫性を有するまとまり、世界の諸特性を現す構造（構成要素間の相互依存関係を内包する独立した対象）である。芸術作品だけが形式というわけではない。芸術作品は実在する形式全体の一部にすぎないのである。エピクロスやルクレティウスを嚆矢とする唯物論的哲学の伝統では、原子はわずかに傾いた軌跡を描きながら、虚空に向かって並行して落下していくとされる。そのうちのひとつが軌道から逸れることで「隣の原子との出会いを誘発し、出会いに出会いを重ね、かくして世界が誕生する……」[一〇]。形式を生み出すのは〈偏り〉と、平行線を描いていた二つの要素の偶然の出会いなのだ。世界の誕生のために、出会いは持続しなければならない――諸要素がある形式に統合される、つまり「（氷が〈固まる〉と表現されるように）諸要素が固まる」[一一]必要があるのだ。〈形式は、持続する出会いとして定義される〉。持続する出会い、それはドラクロワの絵画の線や色彩、シュヴィッタースの〈メルツ絵画〉を覆うさまざまな事物、クリス・バーデンのパフォーマンスである。彼らの作品は、その画面構成や空間配置の良し悪しを超え、それぞれの構成要素が、作品の誕生の瞬間にその意味を「保持」する全体を形成し、新たな〈生の肯定〉[一二]を生み出すとき、持続的であることを明示する。すべての作品は、持続する世界のモデルなのである。最も批判的かつ否定的なモデルの場合でさえ、引き離されていた世界の諸要素を出会わせるのであり、この持続する世界の経験を提供する――例えばアンディ・ウォーホルが死のイメージとマスメディアを結びつけたように。ドゥルーズ゠ガタリによる「芸術家が創造するのは、知覚されるもの［percepts］と情動［affects］のブロックである」[一三]という芸術作品の定義は、まさにこのことを言っているのだ。アートとは、主体が特異な経験――セザンヌのリンゴであれビュレンのストライプであれ――に出会う瞬間を一つにまとめておくことなのである。言うまでもないが、世界を構築するために原子の出会いを持続させる結合材の組成は、歴史的文脈に依存する。より多様な知覚経験を有する今日の観客が理解する〈一つにまとめておくこと〉のあり方は、十九世紀の観客が想像したものと同じではあり得ない。我々の視覚経験は、写真の世紀とそれに続く映画（新たな力動的統一としてのシークエンス・ショット［plan-séquence］の導入）の世紀を経て、「世界」をブロンズのような物質的素材によっては結びつけることが出来ない、ばらばらの要素の集合（たとえばインスタレーションのようなもの）として認識することを可能にするほど複雑化し、豊かになった。そのため、今日の〈結合材〉はかつてほど自明ではなくなったのである。別のテクノロジーが現れたなら、それもまた同様に、我々を未知の〈形式＝世界〉の認識へ導く。例えば情報科学分野で特権的に用いられるプログラムという概念は、一部のアーティストの作品の捉え方を大きく変えてしまうだろう。そのとき作品は、観客＝オペレーターによって実行される一連の単位装置の集合として位置づけられる。ここで私が雑駁に主張しているのは、〈形式〉概念の不安定性と多様性についてである。その振れ幅は、社会学の創始者エミール・デュルケームのおなじみの通告――〈社会的事実〉を〈もの（ショーズ）〉とみなす――の中に示されている。芸術的な〈もの（ショーズ）〉は、時間的もしくは空間的に生じる〈出来事〉、あるいは出来事の集合として姿を現す場合があるが、それでもそのまとまり（出来事を形式に、つまり世界にするための）に疑いの余地はない。その枠組みは孤立した対象を越え、状況全体を包含するように拡大した。ゴードン・マッタ＝クラークやダン・グレアムの作品の形式は、二人のアーティストが〈生産〉した〈もの（ショーズ）〉には還元できない――それはフォーマリズムの美学が主張するような、単なる構図の派生的な効果などではなく、記号、事物、形態、身振りを横断する軌跡を描く、能動的な原理なのである。現代の作品形式は、その物理的形態を越える広がりをもっている。形式とは諸要素の出会いを生み出すもの、力動的な凝集の原理なのである。芸術作品は

〔持続という〕線上の点なのだ。

形式と他者のまなざし

セルジュ・ダネーの言葉通り、「いかなる〈形式〉も我々を見つめる顔である」[一四]とするならば、ひとたび対話の次元に入った時、形式はどのように変化するのだろうか。関係的な形式の本質とは何か。ここでダネーの公式がはらむ両義性を参照しつつ、この問いについて検討してみてもいいだろう——形式が我々を見つめるのならば、我々はどう形式を見返すのか。

一般的に形式は内容に対する輪郭として定義される。しかしモダニズムの美学は、形式と内容とのある種の融合（混同）、つまり両者を巧妙に一致させることで〈形式美［beauté formelle］〉について語る。したがってモダニズムの美学において、作品は造形的な形態を通じて判断されることになる。一方で新たな芸術的実践に向けられるもっとも流布した批判は、その〈形式的な実効性〉をいっさい認めず、〈形式的解決〉の欠陥をあげつらうものである。現在の芸術的実践について考察するならば、我々は「形式」よりもむしろ《形成（フォルマシオン）》[一五]について語るべきだろう。スタイルと署名によって閉じ込められた物理的対象としてのアートとは対照的に、現在のアートは次のことを明らかにするのである——形式は出会いのなかにのみ、つまりある芸術的命題と、それが芸術的であるか否かに関わらず、他のさまざまな形成されたものとの間で維持される、力動的な関係のなかにのみ存在する。

形式は自然や野生状態には存在しない。それは我々のまなざしによって視覚的世界の深みから切り出され、形を与えられるのだから。形式は他の形式から発現する。昨日は無形［informe］、もしくは〈非定形〉と見なされていたものが、今日は形式として受け入れられる。美に関する議論の変化に伴い、形式のあり方も変化するのだ。

ヴィトルド・ゴンブローヴィチの小説作品は、登場人物の各々が行動――自己表現や他人との接し方――を通じて自分たちの人物像［forme］を浮かびあがらせていく様子を描写している。人物像は、個人としての我々が、他者――我々という〈存在〉についての判断を、我々に押しつける人々――と接触し、論争を繰り広げる領域で作り出されるのだ。従ってゴンブローヴィチにとって我々の〈形式〉は、サルトルの言葉を借りて言えば、我々をまなざしによって物象化する存在〔＝他者〕との間に我々が結ぶ関係に依存するのである。たとえ自分自身を客観視しているつもりでも、それは結局のところ他の主体との永続的な取引の結果として辿り着いた思考でしかないのだ。

一部の人々は、芸術形式は〔物理的な〕作品の媒介によってこの宿命的な不安定性を回避する、と考えている。反対に我々が確信しているのは、形式は人間との相互作用的な関係によってのみ一貫性（と現実的な実在性）を獲得する、ということだ。芸術作品の形式は、我々と共有される認知可能なものとの交渉を通じて生み出されるのである。アーティストは形式を通じて対話する。したがって芸術的実践の本質は、主体間の相互関係を創出することにあると言える。つまりすべての芸術作品は、共に世界に住むための提案である。そしてアーティストの仕事（トラヴァイユ）は、異なる関係を無限に生成し続ける、世界との関係の束なのだ。

ここで我々は、ティエリー・ド・デューヴの論考[6]に見られる権威主義的な芸術観の対極に立っている。ド・デューヴによれば、すべての作品は歴史的および美学的〈判断の総体〉であり、それを具現化する行為として表明されるアーティストの陳述（エノンセ）に他ならない。そして描くことは、造形的選択を通じて歴史の一部に自らを刻み込むことを意味する。ここに示されているのはアーティストに揺るぎない証拠としての美術史を突きつける検察官の美学なのだ。それは、歴史批評の手続きによって芸術的実践を抑圧する美学である。〈判決〉は、常に断定的であり最終的なものとして突きつけられる。それは対話——それだけが形式を生産的な状態、出会いの状態にすることができる——を否定するのだ。〈関係主義〉の芸術理論において、間主観性は、アートを受容する社会的枠組み——その〈環境〉もしくは〈界（シャン）〉[一六]（ブルデュー）——を表しているだけではなく、芸術的実践の本質をなすものなのである。

ダネーが示唆しているように、関係を作り出すことを通じて、形式は〈顔〉へと生成変化する。言うまでもなく、この定式はエマニュエル・レヴィナスの思想の基礎をなすものを想起させる。レヴィナスにとって顔は倫理上の禁忌を表象するものである。彼に従えば、顔は「他人に仕えるように私に命令するもの[7]」であり、「私たちに殺すことを禁じるもの[一七]」である。すべての〈間主観的関係〉は、我々が他者に対して負わされている責任の象徴としての顔を経由する。レヴィナスは「他者との絆はただ責任として結ばれる[一八]」と書いたが、では倫理学は、間主観性を一種の相互奉仕へ還元する、ヒューマニズム以外の地平を持たないのだろうか。イメージ——ダネーによればそれは顔の隠喩である——は、〈責任〉の負荷を通じて禁止を命じるための道具に過ぎないのだろうか。「すべての〈形式〉は我々を見つめる顔である」と書くとき、ダネーはただ我々の責任について言及している訳ではない。彼の言葉を十分に理解するには、ダネーにとってのイメージの根源的な意味を確認してみればいい——イメージが我々を「我々がいなかった場所[8]」に置くとき、すなわち「他者の場所を奪う[一九]」とき、彼にとってそれは、「非道徳的[二〇]」なものとなる[二一]。こうした彼の立場は、単にバザン＝ロッセリーニ主義の美学が提唱する〈存在論的リアリズム〉[一二]に依拠するものではない。〈存在論的リアリズム〉はダネーの思想の原点ではあるが、彼の思想はその要約に留まるものではないのだ。ダネーによれば、イメージが生み出す形式は欲望の表象に他ならない――形式を生産することは、出会いの可能性を作り出すことであり、形式を受け入れる〔＝レシーヴする〕ことは、テニスの試合で相手のサーヴィスを打ち返すのと同じく、交換を開始するための条件である。ダネーの理路を少しばかり進展させてみれば、イメージが生み出す形式を、欲望の代理人と呼ぶこともできるだろう。形式は観客との議論を可能にするために、アーティストの欲望する世界を提示してイメージに意味を与え、〔イメージに向けられる〕観客の欲望は形式によって打ち返されるのである。このやり取り（エシャンジュ）は、誰かが誰かに何かを見せ、見せられた誰かは自分なりの流儀でそれに応答するという二項間の関係として要約することができる。作品は新生児が母親の視線を〈欲しがる〉ように我々観客のまなざしを捕らえようとする。ツヴェタン・トドロフは『共同生活』の中で、社会的行動の本質は競争や暴力にではなく、承認欲求にあると指摘した[9]。アーティストは我々に何かを見せるとき、自らの作品を「私を見よ」と「これを見よ」との間に位置づける、移行性（トランジティヴィテ）の論理を展開させる。ダネーは生前最後の文章[一三]で、イメージの民主化の本質を象徴する、この〈見せる／見る〉の対関係の終焉を嘆いている。それは結果として、テレビ的かつ権威主義的なもうひとつの対関係――〈広告／需要〉

――の台頭と、〈ヴィジュアル〉[二四]の誕生を招いたのだ。ダネーの思想においては「すべての〈形式〉は我々を見つめる顔である」。なぜなら形式は私に対話を求めるのだから。形式は時間と空間に同時に、あるいはそれぞれに順次、登記される力動的な存在である。ふたつの現実の平面が出会うことによってのみ形式は生み出される。なぜなら同質性が生み出すのはイメージではなくヴィジュアル、すなわち〈情報の円環運動〉なのだから。

第二章　一九九〇年代のアート

参加と移行性（トランジティヴィテ）

金属製のゴンドラ〔ヴェネツィアの伝統的な交通手段として使われる手漕ぎ船〕にガスコンロが据え付けられ、その上の大きな鍋の中で湯が沸いている。ゴンドラの周りにはキャンプ道具が雑然と並べられ、壁ぎわには開封された段ボール箱が積み重なっている。箱の中身はフリーズドライの中華スープで、観客は鍋の湯を注いで、自由にスープを飲むことが出来る。

一九九三年のヴェネツィア・ビエンナーレ、「アペルト93」(一)に参加したリクリット・ティラヴァーニャの作品は、依然としてあらゆる分類——彫刻、インスタレーション、パフォーマンス、あるいはソーシャル・アクティビズム——の境界線上に位置づけられている。ここ数年この種の作品を目にする機会が増えている。とりわけ国際展では、さまざまなサーヴィスを提供する作品、鑑賞者に簡易な契約関係を申し出る作品など、程度の差こそあれ具体的な社会モデルを提案する作品を数多く見かけるようになった。フルクサスのハプニングやパフォーマンスによって基礎付けられた観客の〈参加〉は、今や芸術的実践に定着したのだと言えるだろう。一方マルセル・デュシャンの〈芸術係数〉——デュシャンはこの概念によって、芸術作品における観客の介入の領野を明確に定めようと試みた——が開いた領域は、現在では文化財が有する移行性（トランジティヴィテ）(一)を既成事実として利用する、相互作用性の文化と融合することとなった。こうした動向はすべて、芸術領域の外部で起きた変化を証言するものに他ならない。あらゆるコミュニケーションのヴェクトルにおいて、相互性＝双方向性の占める割合が増加しているのだ。他方インターネットやマルチメディア端末などの新しい技術の誕生は、新たな交歓（コンヴィヴィアリテ）の場を作り出し、文化財との新たな相互関係を確立しようとする、集合的欲望の存在を証言している。そうして〈スペクタクルの社会〉はエキストラの社会に移行し、そこでは誰もが、多かれ少なかれ断片化されたコミュニケーション回路の中で、相互作用的な民主主義のまぼろしを見るのである……。

移行性は、芸術作品の具体性の根拠として、古くから知られるものである。それなしでは、作品は鑑賞行為に従属するだけの死せる客体でしかない。優れた絵画は、作品を目の当たりにした際の特別な記憶をよみがえらせるような、ある感情を凝縮している――すでにドラクロワは彼の日記にそう書き残している。[三] この移行性という概念は、対話に内在する形式の乱れを美的領域に導入し、終わることのない言説作用と、満たされることのない散種(ディセミナシオン)への欲望のために、明確に区分された〈芸術の場〉を否定するのである。ジャン＝リュック・ゴダールもまた、あるイメージを生み出すには二つの要素が存在しなければならないと語り、芸術的実践に関する閉鎖的な概念に抵抗する。ゴダールの主張は、「絵画を作るのは観客である」[四] というデュシャンの言葉の二番煎じのように思われるかもしれない。しかしゴダールはデュシャンよりさらに一歩踏み込んで、イメージの構成過程を、初めから交渉と他者の存在を前提とするものと見なし、対話をその源泉に位置づけようとしていたのだ……。したがって、あらゆる芸術作品は、関係的な対象として、すなわち無数の取引相手や名宛人たちとの間で展開される交渉を空間的にモデル化した場所として、定義されるのである。現在のアートの特徴は（社会経済的基盤を提供するアート業界内の関係とは対照的に）、芸術の領域外の関係の生産にあると言っていいだろう。現在のアートは、個人もしくは集団としての観客相互の関係、アーティストと世界との関係、そして移行性により、観客と世界との関係を生産するのだ。ピエール・ブルデューは芸術の世界を、「もろもろの位置同士の客観的関係の織りなす空間」、言い換えれば、それを「保守したり変革したり」しようとする生産者相互の権力関係や闘争を通じて定義される小宇宙と見なした(一)。他のあらゆる社会的領野と同様、芸術の世界は、それが〈示差的な位置の体系(五)〉を提示する限り、関係的に読み解くことが可能である。しかし、この〈関係的〉な解釈はさまざまな傾きを取りうる。例えばセルクル・ラモ・ナッシュ（ポール・ドゥヴォトール〔とチェ・ヨンジャ〕によるアーティスト・コレクティヴ(六)）は、ネットワークを駆使する彼らの実践に関連して、「アートは、高度に協働的なシステムである。その構成員〔アーティスト、批評家、キュレーターなど〕を緊密につなぐ相互ネットワークが意味するのは、このシステムの中で生じるあらゆる事象が全構成員との相関関係に基づいて生み出されるということを意味している」と提唱している。それは「アートを生み出すのはシステムとしてのアートであってアーティスト個人ではない」ということを意味する。ここでアーティストたちは、トルストイの歴史理論におけるナポレオンやアレキサンダー大王のように、自身の意志に対して超越的に働く法則に、無自覚なまま従う道具のような存在とみなされているのだ……。私はこうした工学的決定論を支持しない。なぜなら、芸術の世界の内部構造が描き出す〈可能性〉は確かに制限されているが、この構造は、構造内の関係を生産し承認する、外部の秩序〔＝社会構造〕の変化に依存するのだから(七)。端的に言えば〈アート〉は多孔性のネットワークなのであり、このネットワークとあらゆる生産の界（シャン）との関係が、アートの変化を規定するのである。さらに、作品が〈創出する〉外部的な関係の本質を率直に問うことを通じて、美術史を世界との関係の生産史として記述することさえ可能なのだ。

　その概略は次のようなものだ。アートは初め超越的な世界にあり、神性との連絡手段の確立を目指していた。アートは、模範的秩序としての自然――それを理解することが神の意図に近づく道とされた――と共に、人間社会とそれを支配していた不可視の力との間のインターフェイスの役割を果たしていた。しかしこの野心は次第に放棄されてゆき、アートは人間と世界との間の関係の探究へ向かうこととなった。この関係的、弁証法的な新しい秩序の展開はルネサンスから始まった。当時の世界は依然として神的象徴によって支配されていたとはいえ、人間世界の物理的条件が重要視されるようになった。アルベルティによって画家が習熟すべき知識／技術とされた遠近法や解剖学的リアリズム、そしてレオナルド・ダ・ヴィンチの〈スフマート〉などの新しい視覚テクノロジーは、この変化を大いに前進させたのである。物理的世界の探求という芸術作品の目的は、キュビスムが登場するまで本質的に変化することがなかった。キュビスムは日常のよりありふれた要素（テーブルの角やパイプ、ギターなど）を主題に、対象認識の動的メカニズムを再現する心理的リアリズムに基づいて、我々の視覚と世界との関係の分析を試みたのである。

こうしてイタリア・ルネサンスによって切り開かれた関係的領域は、徐々に限られた対象に割り当てられるようになっていったのである。〈我々と物理世界との関係はいかなるものか〉という問いは、まず現実世界の全体に向けられ、その後に同じ現実世界の限られた領域へと振り向けられたのだ。無論その変化は単線的なものではなかった。周知のように視覚システムの厳密な分析者であったスーラは、不可視の世界と我々との関係を解明しようとしたオディロン・ルドンの同時代人だったのだ。とにかく、芸術的実践はその外部の関係的領域の内的な進化によって決定づけられるのであり、美術史は本質的に、そうした実践によって置き換えられた外部の関係的領域の歴史として解釈できる――つまり美術史は、ある種の対象や特定の実践によって媒介される、世界との関係の生産史なのである。

この歴史は今や新たな展開を迎えているように思われる。まず人間と神との関係を、次に人間と対象との関係を探求したアートは、一九九〇年代の芸術的実践が証言しているように、これからは人間の相互関係の領域を中心的な探求の場として定める。アーティストはますますはっきりと、作品が観客たちの間に作り出す関係や社会関係のモデル化に、自らの関心を集約しつつある。それらの特徴的な生産行為は、イデオロギー的、実践的な場だけではなく、新たな形式の領域をも確立するのである。ここで私が主張したいのは、芸術作品に内在する関係的性質を越え、社会領域における人間関係に準拠する形態が、芸術〈形式〉として完全な資格を備えたものであると認められるようになる、ということなのだ。したがって、集会、待ち合わせ、デモ、さまざまな種類の共同作業、ゲーム、パーティ、多様な交歓性（コンヴィヴィアリテ）の場など、要するに今やあらゆる出会いの様態と関係の創出それ自体が美的対象として認められるのであり、ここにおいて絵画や彫刻は、形式の生産——それは単純な美的消費対象の生産に限定されるものではない——の特殊事例に過ぎないと言えるだろう。

類型学

連絡と待ち合わせ

絵画や彫刻は、その象徴的可用性[八]によって特徴づけられる。物理的に不可能な場合（美術館の閉館時、地理的な隔たり）を除き、作品はいつ何時でも鑑賞できるのである。それは実質的に、世界中の観客のまなざしと好奇心に差し出されている。一方コンテンポラリー・アートは定められた時間にしか鑑賞できないという制約を自らに課すことにより、しばしばその非可用性によって特徴付けられる。中でもパフォーマンス・アートは、ほとんどの場合上演後には記録映像が残されるのだが、記録と作品そのものとは厳然と区別されるのだから、非可用性のアートの最も典型的な例であろう。こうした実践は、観客との契約やある種の〈取り決め〉を前提としており、一九六〇年代以降、その条項は多様化しつつある。芸術作品はもはや〈永続的な〉時間の中で消費されるのでも、普遍一般の観客に向けて公開されるのでもなく、特定の出来事に関連する時間の中で、契約に基づいて召還される観客のために展開されるのだ。要するに、作品は出会いを引き起こし、待ち合わせの約束をし、固有の時間を管理する。観客との出会いは必ずしも必要ではない。例えばマルセル・デュシャンは任意の日時に、そのとき手近にあった日用品を気まぐれにレディ・メイドとして選び出し、〈アートの待ち合わせ〉を考案した。また、ロバート・バリーは「一九六九年三月五日午前中のある瞬間、〇・五立法メートルのヘリウム・ガスが大気中に放出される」ことを告知し、一回限りの現象を目撃するよう呼びかけた。こうして観客たちは、自らの恩寵によって初めて実在することになる作品について証言するために移動を促される。一九七〇年一月、クリスチャン・ボルタンスキーは数名の知人に宛て、助けを求める手紙を送った。その内容は一九七〇年頃から知人に送られ続けている河原温の電報の内容――「私はまだ生きている［I am still alive.］」――と同じく、単なる私信と区別できないほどに曖昧なものであった。名刺（ドミニク・ゴンザレス＝フォルステル、リアム・ギリック、ジェレミー・デラー）

や住所録（カレン・キリムニックのドローイング）形式の作品、展覧会の一部としてオープニング・セレモニーに重要な役割を与えること（パレーノ、ジョセフ、ティラヴァーニャ、ユイグ）、創意工夫を凝らした招待状を作ること（メール・アートの生き残り）、こうしたさまざまな実践は、芸術の領域を形成し、その関係的次元の基礎をなす、〈待ち合わせの機能〉の重要性を物語っている。

交歓と出会い

作品は、偶発的な関係の生産装置として、すなわち個人的もしくは集団的な出会いを誘発すると同時に運用する機械として機能しうる。過去二〇年間の実例をいくつか挙げてみよう。ブラコ・ディミトリーヴィチの《偶然の通行人》［Casual passer-by］シリーズは、著名人の胸像の隣に見知らぬ通行人の巨大なポスターを掲示し、一般人の名前と顔貌を不釣り合いなほどに讃える作品である。一九七〇年代初頭、スティーヴン・ウィラッツはある団地の住人たちの関係を調査し、その結果を綿密にマッピングした。ソフィ・カルの作品の多くは、彼女と見知らぬ他人との出会いの記録に基づく——街で偶然すれ違った通行人を追跡したり、ホテルのルームメイドとして雇用され、宿泊室をくまなく捜索し写真を撮影したり、視覚障害者たちに美の定義について尋ねたりといった行為を通じて、彼女は出会った人々を彼女との〈共同作業〉に巻き込んでいく、ある種の伝記的経験を事後的に形式化するのである。さらに例を挙げれば、河原温の《私は会った》[I met]、ゴードン・マッタ＝クラークが一九七一年に開店したレストラン《フード》、ダニエル・スペーリのディナー、そして、ジョージ・ブレクトとロベール・フィリウがヴィルフランシュに開店したフルクサスのアトリエ・ブティック《微笑むセディーユ》[La cédille qui sourit] などがある。交歓（コンヴィヴィアル）的な関係の形式化は、一九六〇年代以降の美術史において継続的に見出すことができるのだ。一九九〇年代のアーティストたちは、六〇年代と七〇年代には中心的な問題であったアートの定義という重荷から解放されたうえで、関係の問題系を引き継いでいるのである。もはや問題はアートの限界を広げることではなく[2]、社会領域の全体においてアートによる抵抗の力を試すことにある。同一の名をもつ一連の実践から、まったく異なる二つの問題が浮上する。〈新しさ〉を特権化し、言語による価値転倒を追求するモダニズムの文化においては、芸術領域内の関係が強調されていた。しかし今日では折衷的文化――アートが〈スペクタクルの社会〉の圧力に抵抗するための拠点――を背景とする領域外との関係が際立っている。ユートピア的な社会や革命への期待は、日常のマイクロ・ユートピアと擬態戦略に道を譲った。どのような立場をとるにせよ、〈直接的〉な社会批判は、それが社会的な周縁といういまや幻想に過ぎない立場から行われるのならば、無効であり退行的でさえある。三十年近く前、既にフェリックス・ガタリは、現在の芸術的実践を基礎づけている近接性の戦略を賞賛していた——「私は社会を少しずつ変えることに賭けるのが幻想だと思う一方で、微少な企て、共同体づくり、地区の委員会、大学の託児所の組織といったようなものが絶対に根本的な役割を果たすことができると考えている」(3)。

批判哲学の伝統(とりわけフランクフルト学派)は、もはや素朴な工芸品や壮麗なガラクタのようなアートしか生み出さない。コンテンポラリー・アートの秩序破壊的で批判的な機能は、個人的もしくは集合的に描き出される逃走線において、つまり暫定的かつノマド的な構築物——それはアーティストが攪乱的状況をモデル化し、拡散させるための装置である——によって実装されるのだ。それゆえ、社会的行動の諸様態を異質発生的に生成するための坩堝として再発見された、交歓性(コンヴィヴィアリテ)の場が注目を浴びているのである。アンジェラ・ブロックはCCCトゥールでの展覧会でカフェを開設し、一定の人数がいすに座ると一九九三年にリリースされたクラフトワークの曲が流れ出す椅子を設置した……。ジョージナ・スターは、一九九三年十月にパリで開催された「レストラン」展のために、自身の〈一人ディナー〉の経験を綴ったテキストを書き、一人で訪れたディナー客に配布した。ベン・キンモントは無作為に選んだ人物の食事後の汚れた皿を洗い、その労働の最中に交わされた会話の内容を記録し続けている(九)。リンカーン・トビエは、ギャラリーに開設したラジオ局に観客を招き、継続的なディスカッションを開催し、その様子を放送する。

パーティの形式は、特にフィリップ・パレーノに多くの着想を与えた。コンソーシアム・ディジョンでの展覧会（一九九五年一月）の際、彼はパーティ――そこではすべての構成要素が関係的な形式の生産に帰結する――をオーガナイズし、「数立方メートルの空間ではなく、二時間の時間を占有した」。展覧会が提示したのは芸術的な物理的対象そのものではなく、その周りに集まる人々が作り出す状況だったのだ[一〇]……。他方、交歓の社会的・職業的機能の可能性を追求するリクリット・ティラヴァーニャは、「ペナルティ・エリア」［Surface de reparations］展（ディジョン、一九九四年）にテーブル・サッカー・ゲームや食材を詰め込んだ冷蔵庫などを持ち込み、参加しているアーティストたちのためにリラクゼーション・エリアを開設した……。交歓性（コンヴィヴィアリテ）の〈友好的〉局面から生まれた作品例の締めくくりとして、ハイモ・ツォーベルニヒがユニテ［Unité］展のために制作したバー・カウンターとフランツ・ヴェストのパス＝シュトゥック［＝接合部品］を挙げておこう。他のアーティストたちはより攻撃的な手法で関係の編み目に介入する。例えばダグラス・ゴードンは社会領域に寄生的、逆説的に介入することで、相互作用的な関係における〈暴力的〉次元を探求する。彼はカフェの公衆電話に電話をかけ、たまたま電話を受けた見知らぬ人物に、いくつかの〈指示〉を出した[一一]。コミュニケーションの経路を混乱させ、不適切なコミュニケーションを発生させる試みの最も興味深い例は、アンガス・フェアハーストの作品である。彼は二台の電話機から同時に二つのギャラリーに電話をかけ、それぞれの受話器をくっつけてしまう。電話がかかってきたギャラリーのスタッフが電話に出ると、当事者はそれぞれ、自分に電話をかけてきたのは相手の方だと思い込み、会話は奇妙な誤解へと導かれることになるのだ……。関係の図式を描き出し、探求する作品群――表面＝対象によって媒介される経験（リアム・ギリックのボード、ピエール・ユイグのストリート・ポスター[一二]、エリック・デュッカーツのヴィデオ・レクチャー）、あるいは直接的な経験（アンドレア・フレイザーの展覧会ツアー）の形式化――は、現代の〈社会体〉に深く介入し、極小の関係的な領土を構成するのである。

コラボレーションと契約

芸術作品を、
（a）ある瞬間における社会関係
（b）社会関係を生産する対象
として提示するアーティストたちは、しばしば既存の関係を作品制作の原理として利用する。

例えばアーティストと所属ギャラリーのオーナーとの関係が、作品やアート・プロジェクトの形式を決定づけることがある。実際にドミニク・ゴンザレス゠フォルステル——彼女の作品は経験とその物質的な支持体、すなわちイメージ、空間、あるいは事物との関係を扱っている——は、ギャラリーのオーナーの半生をモチーフにして、いくつかの個展を開催した。「あなたが見ているつもりの世界へようこそ」[Bienvenue à ce que vous croyez voir]展(一九八八年)では、ガブリエル・モーブリーの記念写真が展示され、「タオイストの娘」[The Daughter of a Taoist]展(一九九二年)では、親密な雰囲気を醸し出す空間に、エスター・シッパーの幼年時代の思い出〔の写真〕と、それが潜在的に喚起する色(この作品の場合は赤)にちなんで、さまざまな事物が配置された。ゴンザレス゠フォルステルはこれらの展覧会を通じて、ギャラリーのオーナーと〈所属〉アーティストとの間で取り交わされる暗黙の契約関係の意味について考察する——前者の存在は後者の人生の中に刻まれており、後者もまた前者の伝記の一部を成しているのだ。発注主や支援者から制作の〈手がかり〉として与えられる断片的な伝記的情報は、言うまでもなく肖像画の伝統を想起させるものであり、肖像画の発注/受注のやり取りは、芸術的表象の根底に社会的つながりが存在することを示している。マウリツィオ・カテランはギャラリーのオーナーの身体そのものを作品の素材にした——エマニュエル・ペロタンに、前からはウサギ、後ろからはペニスに見える衣装をデザインして、カテラン自身の個展会期中それを着用し続けるよう指示し、ステファノ・バジリコには、まるで彼がイリアナ・ソナベンドに背負われているように見える衣装を作った〔バジリコの拒絶によってプロジェクトは途中で頓挫した〕……。サム・サモアはより婉曲的な手法でギャラリストとの関係を取り上げた。彼はギャラリストに写真を撮影してくるよう依頼し、撮影された写真から展示作品を選び、額装して自らの個展で展示した。しかしアーティスト／キュレーター〔＝ギャラリストを含む展覧会企画者〕の二項関係は、もとより美術制度の一部なのであり、芸術生産を規定しうる人間関係の基本的な形態に過ぎない。アーティストはさらに、エンターテインメント業界の著名人とのコラボレーションへと歩みを進める。ドミニク・ゴンザレス＝フォルステルは女優マリア・デ・メデイロスを迎えて作品を制作した（一九九〇年）。フィリップ・パレーノは物まねタレントのイヴ・ルコックと共に一連のパブリック・インターベンション〔公共空間において時にハプニング的に行われるパフォーマンス〕を企画した。パレーノの目論みは、ＴＶタレントのイメージを内面から作りなおすことにあった（《公人》[Un homme public]、マルセイユ、ディジョン、ゲント、一九九四—九五年）。

平川典俊は、彼自身が仕掛けた出会いから形式を作り上げる。ジュネーヴのピエール・ウーバー・ギャラリーでの個展（一九九四年）を準備するにあたって、彼は、ギリシャ旅行に同行し、その記録を作品化することに同意する、若い女性を募集するための小さな広告を掲出した。

展示された写真はすべて、平川と女性が交わした特定の契約に従って生み出されたイメージであるが、必ずしも彼女の姿が写真に写っている必要はなかった。さらに平川は、特殊な職業の人びとに協力を依頼することがあった。あるとき彼は、占い師に自身の未来について尋ね、そのやりとりを録音した。展示の際にはその音声を聞くためのウォークマンを、千里眼の宇宙を連想させるような写真やスライドとともに設置した。アリックス・ランバートは《ウエディング・ピース》シリーズで、契約関係としての結婚について考察した。六カ月間に三人の男性に加え女性一人と結婚し、記録的な早さで離婚を繰り返すことで、彼女は婚姻制度——物象化された人間関係を生産するための工場——という〈大人のごっこ遊び（ロール・プレイング・ゲーム）〉に身を投じたのである。ランバートが展示したのは、契約の世界によって生産された婚姻証書、証明写真、その他の思い出の品々などであった……。ここでアーティストは、自身に先行して存在し、誰にでも利用可能な素材、すなわち形式生産の宇宙と関わっている（占い師を訪ねること、関係に公認を得ること、など）。また、「ユニテ」[Unité]（フィルミニ、一九九三年六月）[一三]のようなアート・プロジェクトは、大規模集合住宅の住民たちの関係として提供された、無形の関係的モデルを素材として制作に取り組む機会——その機会として、「ユニテ」はこれまでで最良の事例である——をアーティストたちに提供した。参加アーティストのうち何組かは、住人たちの社会関係に直接関わり、それに変更を加え、関係そのものを可視化した。例えば、アーティスト・コレクティヴのプレミアータ・ディッタ［Premiata Ditta］は、統計資料を作るために、住人に対して体系的な調査を実施した。フアリード・アーマリーのインスタレーションでは、住民たちのインタビューを含む音声資料をヘッドフォンで聴くことが出来た。クレッグ&ガットマンは、住民たちのお気に入りの音楽が収められたカセットテープを収蔵するための本棚――その形態はル・コルビュジエの建築〔＝プロジェクトの舞台となった「ユニテ・ダビタシオン」［Unité d'Habitation］〕を模していた――を中心としたインスタレーションを制作した。こうして住民たちの文化的嗜好は建築構造の形態で対象化され、展覧会の期間中に誰もが利用できるよう、それぞれの居住階ごとに再編成されたのである……。住民たちの集合的な相互作用によって育まれ、生産されたクレッグ&ガットマンの《レコード・レンタル・ライブラリー》［Discothèque de prêt］は、同年にハンブルク・クンストフェラインにて開催された「バックステージ」展ではその要素を一新したが、コンテンポラリー・アートの基盤となっている契約関係そのものを具現化するものであった。

職業的関係――顧客たち（一四）

ここまでに取り上げた社会関係を探求するさまざまな実践では、アーティストが既存の関係に入り込み、そこから作品形式を抽出していた。これから取り上げる実践はそれらとは異なり、社会事業のモデルを再構成し、それぞれの事業に対応する生産手段を適用する――アーティストたちは実際の商品生産やサーヴィス産業の現場で活動し、実践の空間の中で、自らが提示する事物の使用価値と美的価値との間に、ある種の両義性を導入するのである。私はこの鑑賞(コンテンプラシオン)と使用の間のゆらぎを、操作的リアリズム［réalisme opératoire］[4]と呼び、ピーター・フェンド、マーク・ダイオン、ダン・ピーターマン、ニーク・ヴァン・デ・スティーグらに加え、インゴルド航空やプレミアータ・ディッタなど（パナマレンコや、ジョン・レイサム率いる「アーティスト・プレイスメント・グループ」［Artist placement group］らの先駆者たちも同様のアプローチを取っていた）、ある種の〈企業活動〉をパロディ化した実践を含む、多様な活動を見定めようとしたことがある。これらのアーティストたちに共通するのは、事業活動とそれに付随して生産される関係の宇宙をモデル化し、作品制作のための装置として用いていることである。しかし、「インゴルド航空」や、「有限会社サーヴァース」、マーク・コスタビの〈スタジオ〉のように、一般的な経済活動を模倣した架空の企業活動は、それぞれ航空会社、水産会社、制作プロダクションのレプリカに過ぎず、そのイデオロギー的、実践的次元について無関心であるために、パロディ・アートの次元にとどまるものでしかない。一方、今は亡きフィリップ・トーマス〔一九九五年九月没〕の

《レディ・メイドはみんなのもの》［Les ready-mades appartiennent à tout le monde］代理店プロジェクトは、例外的な実践である。このプロジェクトを第二段階へと確実に発展させるための時間が彼には残されていなかったため、この署名濫造プロジェクトは、CAPCボルドーでの「青白い炎」［Feux pales］展（一九九〇年）の後で途切れてしまった。それでも、作品の購入者が制作者に代わって作品に署名をするというフィリップ・トーマスが考案した仕組みは、アーティストとコレクターの間の不透明な経済的つながりに光を当てることとなった。ARCパリとCAPCボルドーの展覧会に参加したドミニク・ゴンザレス＝フォルステルの《伝記セアンス》［Séances biographiques］[5]〔セアンスとは「降霊会」や、精神分析における「面接」の意味がある。「セッション」とも〕は、より密やかなナルシシズムに根差している。参加者は予約を取って会場を訪れ、自らの人生の主要な出来事を語り、アーティストはそれを元に参加者の伝記〔としての、参加者が幼少期に住んでいた家のドローイング〕を描いた。

些細なサーヴィスを提供することによって、アーティストは社会的紐帯に生じた裂け目を埋める――その時作り出された形式は、まさに〈私を見つめる顔〉となるのである。それこそ、自分が無意味な存在であるかもしれないという不安に突き動かされ、さまざまな周辺的労働（マッサージ師、靴磨き、スーパーのレジ係、会合の世話役など）に従事する、クリスティーン・ヒルのささやかな望みなのだ。アートは取るに足らない身振りを通じて、辛抱強く関係の布地を縫い合わせる天使の計略、つまり現実の経済システムから離れ、ひそかに実行される一連の行為なのである。カールステン・ヘラーは彼自身の高度な科学的知見を駆使して、人間の行動を誘発する状況や装置（オブジェ）を作り上げた——彼は恋愛感情を解放する薬や突飛な舞台装置を開発し、超科学的な実験に取り組んだ。ヘンリー・ボンドとリアム・ギリックは、一九九〇年に「ドキュメント」プロジェクトを始めたが、そこで彼らは新聞記者の業務を正確になぞって行動した。電信印字機が情報を〈打ち出す〉と同時に、彼らは〈同僚〉の記者たちと事件現場へ急行して写真を撮影してくるのだが、その写真はプロの記者たちとはまったく異なる視点から撮影された。ボンドとギリックは主要な通信社の記者たちの生産手法だけを、つまり彼らの仕事の手順だけを厳密になぞっていた。それはちょうどピーター・フェンドのＯＥＣＤ〔海洋土地建設開発（Ocean Earth Construction and Development）の略〕同業組合やニーク・ヴァン・デ・スティーグが建築家の労働条件に沿って制作を進めるのと同様のアプローチである。異質な〈世界〉の条件に従いつつ、アートの世界の内部で活動すること。そのときアーティストたちは、顧客、発注、事業といった概念によって機能する関係的な宇宙を、アートの世界に導入するのだ。一九九五年二月にパリ市立近代美術館で開催されたファブリス・イベールの展覧会には、実際にも比喩的にも、ありとあらゆる工業製品が並べられていた。それらは、イベール自身の会社〈ＵＲ〉（無限責任会社）〔Unlimited Responsibility〕を介して観客に販売するために、製造業者から美術館に直送されたもので、〔その光景は〕観客に居心地の悪さを味わわせることとなった。商業活動をただ〔視覚的に〕模倣しただけのギョーム・ビルの作品のイリュージョニズムを回避しつつ、イベールのプロジェクトは、経済の欲望の次元に結びつけられている。マグレブ諸国〔北アフリカのモロッコ、アルジェリア、チュニジアを含む地域の総称〕と椅子の貿易を行い、パリ市立近代美術館をスーパーマーケットに仕立てあげ、イベールはアートを、ある一つの社会機能として、すなわち〈事物生産の最初の動機〉を再発見するための持続的な〈データ処理〉[digestion de données] として提示するのである。(一五)

いかにギャラリーを使いこなす（オキュペ）か

ギャラリーや美術館での社会的交換も、芸術制作の素材になり得る。今やオープニングは多くの展覧会にとって欠かせない要素であり、効果的な動員手段と見なされている。一九五八年四月に開催されたイヴ・クラインの「空虚」展 [L'exposition du vide] は、展覧会に統合されたオープニングのプロトタイプである。アイリス・クラート・ギャラリーの入口に立つ共和国衛兵から、来場者に振る舞われるブルー・カクテルにいたるまで、クラインは通常の展覧会オープニングの手順を忠実になぞってみせたのだが、それらはすべて、展示品としての空虚なギャラリー空間を際立たせるための詩的役割を担っていたのである。ジュリア・シェールの作品《ジュリアのセキュリティ》［Security by Julia］）は、展覧会場に設置された監視装置によって構成されており、観客の流れとその可能な限りでの管理を作品の主要な素材とし、かつその主題とする点で、クラインの系譜に連なるものである。アーティストが展覧会のプロセス全体を〈使いこなす（オキュペ）〉ようになるまで、そう長い時間はかからなかったのだ。

一九六二年、ベンは最低限の荷物を持って、ロンドン市内のギャラリー・ワン〔のショーウインドウ〕で二週間にわたって生活をした。一九九〇年八月、ピエール・ジョセフ、フィリップ・パレーノ、フィリップ・ペランらは、「パラダイスのアトリエ」［Les ateliers du Paradise］展において、文字通りにも比喩的な意味でも、会場であるニースのエール・ドゥ・パリ・ギャラリーに〈住んだ〉。後者は一見ベンのパフォーマンスの焼き直しのように思われるだろうが、両者はそれぞれ根源的に異なった関係の宇宙——制作された時代に応じてまったく方向性の異なる思想的、美学的基盤——に依拠しているのである。ギャラリーで生活するとき、ベンが示そうとしたのはアートの領野が、アーティストの睡眠や朝食をも取り込むところまで広がっていることだった。一方ジョセフ、パレーノ、ペランらは、展示空間を、明確な役割分担に従って観客と共同で運営されるアトリエに、あるいは〈撮影スタジオ〉に変えたのである。その「パラダイスのアトリエ」展のオープニングで、観客たちはそれぞれに手渡されたTシャツ（〈恐怖〉や〈ゴシック〉など一着ごとに違う単語がプリントされている）を着用した。観客たちが織りなす関係は、Tシャツにプリントされた単語のつながりに変換され、映画監督のマリオン・ヴェルヌーが操作するコンピューターによって、その場でシナリオとして再構成された。最終的に観客たちの相互関係は、三人のアーティストによって――インタラクティヴなコンピューター・ゲームをプレイするように――経験を通じて作り上げられる、一本の「リアルタイム映画」として具現化されたのである。さらに多くの外部の協力者たち――他のアーティストたちはもちろん、精神分析医、トレーナー、友人など――がこの関係的空間の構築に関与した。制作行為と展示の境界を曖昧にする〈リアルタイム〉なアプローチは「ワーク？　ワーク・イン・プログレス？」［Work? Work in progress?］展で再び試みられた。フェリックス・ゴンザレス＝トレス、マシュー・マッカスリン、リズ・ラーナーらが参加し、一九九二年にアンドレア・ローゼン・ギャラリーで開催された「ワーク？　ワーク・イン・プログレス？」展〔ギャラリーHPによれば展覧会の開催期間は一九九〇年十一月から一九九一年一月とされており、参加アーティストのリストにフェリックス・ゴンザレス＝トレスの名前はない〕や、一九九四年十月にゲントで開催された「これがショーだ、そしてショーはさまざまなものごとであふれている」［This is the show and the show is many things］展でのアプローチは、後に私自身が企画した「トラフィック」展でより理論的に形式化されることとなった。どちらの展覧会でも、アーティストは展覧会の期間中ずっと作品に変更を加え続け、展示作品を入れ替え、パフォーマンスやイベントを実施していた。変更が加えられるたびに展覧会の文脈全体が更新される。展覧会そのものがアーティストの仕事によって〈形を与えられる〉、しなやかな素材になっていたのだ。このような展覧会では、観客の存在が決定的な意味をもつ。なぜなら観客と作品との相互作用が展覧会の構造を決定するからだ。そこで観客が直面するのは、彼らの決断を要求するさまざまな装置である。たとえばゴンザレス＝トレスの「スタックス」や山積みのキャンディは、作品から何か（印刷された紙やキャンディ）を持ち去る権利を観客に与えるが、観客全員が権利を行使すればすぐに作品は消え去ってしまうだろう。そこでアーティストは観客の責任感に訴えかけなければならず、他方で観客は自らの振る舞いが作品を破壊する可能性があることを理解する必要がある。構成要素のすべてを与えることでその構造を保とうとする作品に直面した時、我々はどのような立場を取るべきなのか。照明に縁取られた小さなお立ち台の上で、露出度の高い下着姿の若い男性がダンスを踊る、トレスの《ゴーゴー・ダンサー》（一九九一年）や、ピエール・ジョセフが展覧会オープニングに合わせて上演するパフォーマンス《よみがえるキャラクターたち》［Personnages vivants à réactiver］を見るときにも、同様の両義性が観客を待ち受けている。しゃがれ声でがなり立てる「女乞食」（「ノー・マンズ・タイム」［No man's time］展、ヴィラ・アーソン、一九九一年）を前にする観客は、なすすべもなく彼女のまなざしに――人間を物象化し、周囲の作品に同化させるまなざしに――絡め取られ、〔身動きが取れなくなり〕目を逸らすことしかできなくなってしまうのだ。ヴァネッサ・ビークロフトも同様の両義性と戯れるが、彼女の場合は観客との距離を保つ。一九九四年十一月、ケルンのエスター・シッパー・ギャラリーで開催された初個展では、揃いの下着、金髪のカツラ、細身のポロネックのジャンパーを身につけた十数人の若い女性たちのフォトセッションが行なわれた。その間ギャラリーの入り口には入場制限のための障壁が設けられ、観客は一度に二、三人ずつ入場し、離れた場所からその様子を眺めることしか許されなかった。観客＝窃視者の好奇の眼差しにさらされる奇妙な集団。ピエール・ジョセフによっておなじみの物語から召喚されるキャラクターたち、ダミアン・ハーストの二枚の絵画の下に佇み、一緒に展示される双子たち（アート・ケルン、一九九二年）、展覧会場で開催されるストリップ・ショウ（ダイク・ブレア）、パリ市内を気まぐれに走る大きな窓付きのトラックに設置されたルームランナーの上で歩く人（ピエール・ユイグ、一九九三年）、手回しオルガンを演奏する猿回しの大道芸人（マイヤー・ヴァイスマン、ジャブロンカ・ギャラリー、一九九〇年）、マウリツィオ・カテランが「美しい国」という名前のチーズを餌として与えて育てたネズミ、カールステン・ヘラーがウイスキーに浸したパンくずを食べさせて酔わせた鳥（コレクティヴ・ヴィデオ、「アンプラグド」展、一九九三年）、ワックスを塗ったモノクロームのカンヴァスに貼り付けられた蝶（ダミアン・ハースト、「イン・アンド・アウト・オブ・ラブ」［In and Out of Love］展、一九九二年）、個人的もしくは社会的な行動実験のための試験管の役割を果たすギャラリーの中で、動物と人間が交錯する。ヨーゼフ・ボイスは彼自身の力を誇示するために檻の中でコヨーテと数日間生活を共にし、人間と〈野生〉世界との和解の可能性を示そうとした（《私はアメリカが好き、アメリカも私が好き》［I like America and America likes me］［一九七四年］）のだが、他方、先に言及したほとんどのアーティストたちは、作品の帰結についてあらかじめ見通しをもってはいなかった。なぜなら、トリスタン・ツァラの言葉――「思想は口の中で作られる」――にならって言えば、アートはギャラリーで作られるのだから。

第三章　交換の時空間

作品と交換

アートは、社会的交換〔の対象〕と同じ素材を用いて生産されるため、集合的生産のなかでも特異な位置を占める。なぜなら芸術作品は人間が生み出す他の生産物にはない特性、すなわち（相対的な）社会的透明性を有しているからだ。すべての優れた芸術作品は、単なる空間的な存在以上のものである。それはいまここで繰り広げられる時間的なプロセスとしての対話や議論、そしてマルセル・デュシャンが〈芸術係数〉と呼んだ人間的な交渉の形式に自らを開く。この交渉は、作品が、人間の制作行為の成果であることを明示する〈透明性〉に基づいて行われる。実際に芸術作品は、制作過程、作品が社会的交換の中で占める位置、観客に割り当てる場所もしくは役割、そして制作中のアーティストの行動（作品は、アーティストの作品制作時の一連の姿勢と身振りの、サンプルやマイルストーンの役割を果たす）を同時に見せる（もしくは示唆する）のだ。したがってユベール・ダミッシュが指摘するように、ジャクソン・ポロックの絵画作品は、絵具の流れとアーティストの行動をカンヴァス上で極めて緊密に結びつけるのであり、カンヴァス上の絵具は彼の行動のイメージ、あるいは〈必然的な生産物（プロデュイ・ネセセール）〉[1]なのだ。アートはアーティストの行動によって始まる。作品は、アーティストの手さばきと行為の全体を通じて、現実の存在になるのである。芸術作品の〈透明性〉は、作品に形式を与え生命を吹き込むアーティストの身振り――それは〔既存のレパートリーから〕自由に選択されることもあれば、〔新たに〕作り出されることもある――それ自体が、作品の主題の一部を成しているという事実から生じる。たとえば、アンディ・ウォーホルの《マリリン》の重要性は、ポップ・アイコンとしてのマリリン・モンローのイメージにあるのではなく、アーティストによって選ばれた工業的生産手法――モチーフに対する機械的無関心に基づく描写法――にこそ存在するのだ。[二]芸術作品の〈透明性〉は、芸術に神聖さと新たな装いの宗教性を付与しようとするイデオローグたちと対立する。芸術的交換の形式をア・プリオリに規定するこの相対的〈透明性〉は、アートの神秘性を盲信するものたちにとっては受け入れがたいことに違いない。周知のようにいったん交換の回路に入った生産物は、なんであれそれが元来もっていた使用価値を失い、代わって社会的形式を、すなわちその〈本性〉を部分的に覆い隠す交換価値を獲得するのである。したがって芸術作品がそれ自体として有用な機能をもたないという事実は、アートが社会的に無用な存在であることを意味するのではなく、それが可用性と柔軟さ、すなわち〈無限への傾向〉を有していることの証しなのである。別の言い方をするなら、アートは最初から、交換とコミュニケーション――〈取引(コメルス)〉という語に含まれる二つの意味――の世界に身を捧げているということなのだ。すべての商品はある価値を、すなわち交換を可能にするある実体を共有している。マルクスによれば、この実体は商品を生産する際に費やされた「抽象的人間労働の量」である。それは一定量の貨幣によって表象されるものであり、貨幣はすべての商品の間に存在する、その「一般的等価物」である。これまでも言われてきたように――その基底にはマルクスの思想があるのだが――、アートは価値のイメージそのものであるがゆえに、「究極の商品」を表象するのだ。

ところで、我々は何について話しているのだろうか。我々は〔商品としての〕美術品について話しているのであり、芸術的実践について話しているのではない。美術品は、アートに固有の経済ではなく、一般的な経済において流通するものなのである。そもそもアートが表象するのは、いかなる通貨にも、いかなる〈共通の実体〉の規定にも従わない直接的交換である。それは野生状態における意味（サンス）の分有であり、外在的規定によってではなく、交換される対象それ自体の形式によって規定される交換様式なのだ。アーティストの実践、すなわち制作者としての行動が、我々と作品との関係を規定する。アーティストが美的対象を通じて作り出すのは、なによりもまず人間と世界との関係なのである。

作品の主題

関係性の美学に関わるアーティストたちはみな、それぞれ固有の形式の宇宙、固有の問題系、固有の軌跡を有している。彼らを結びつけているのは共通のスタイルでもテーマでもイコノグラフィでもない。彼らが分有するのはより決定的なもの、すなわち彼らが同一の実践的、理論的地平——人間関係の領域——において活動しているという事実である。彼らの作品は社会的交換の諸様式を、美的経験を伴う観客との相互作用的な関係を、そしてさまざまなコミュニケーションを、個人と人間集団を結びつける具体的な道具の次元において作動させるのだ。

彼らは関係的領域——それと今日のアートとの関係は、大量生産体制とポップ・アートやミニマル・アートとの関係と同様である——の核心で活動するのである。

彼らは皆、展覧会の構成における視覚的なものを排除するのではなく、それを相対化するような近接性に根差している。一九九〇年代の芸術作品は、観客を隣人に、つまり直接的な対話の相手に変えるのだ。この世代と先行世代との決定的な違いは、コミュニケーションに対する態度に現れている。リチャード・プリンスからジェニー・ホルツァーやジェフ・クーンズにいたるまで、一九八〇年代に登場したアーティストたちの大多数はメディアの視覚的側面に重きを置いていたが、一九九〇年代のアーティストたちは接触と触知性を重視し、彼ら自身の造形的エクリチュールにおいて直接性［immédiateté］に特権を与えたのだ。我々はこうした変化を社会学的に説明することができる——経済危機の十年が過ぎ去った直後には、スペクタクル性や派手な視覚効果は時宜に適わないことが明らかになった。一方で、純粋に美学的な解釈も可能である——シミュレーショニズムの作品の視覚的効果に大きな影響を与えた一九六〇年代の表現（主にポップ・アート）へ向かう、美術史の振り子の〈揺り戻し〉が一九八〇年代で停止した。どちらの解釈も、一九九〇年代と一九七〇年代は良くも悪くも〈貧しい〉アートと実験芸術の時代として——芸術の危機という〈気分〉も含め——共通点をもつことを明らかにしている。こうした見方それ自体は極めて皮相なものでしかないが、その結果としてゴードン・マッタ＝クラークやロバート・スミッソンの仕事が再評価され、マイク・ケリーの成功によってポール・テックから工藤哲巳にいたるカリフォルニアの〈ジャンク・アート〉の系譜の再解釈が進むという副次的な効果をもたらしたことは確かである。一九九〇年代と一九七〇年代のアートに共通点を見出すことによって美学的な微気候が形成され、現在の美術史に関する我々の解釈に影響を及ぼしたのだ。いわば、美学的な篩（ふる）いが網目の形を変え、〔これまでとは〕異なる種類の作品を〈通過させ〉、現在に影響を与えたのである。

かくて我々は、一九六〇年代半ばにコンセプチュアル・アートが登場して以降初めて、いかなる過去の美的動向の再解釈もその表現の拠り所としないアーティストの登場を、リレーショナル・アーティストたちに認めるのである。リレーショナル・アートは他のいかなる運動の〈再演〉でもなければ、既存のスタイルへの回帰でもなく、現在の世界の観察と芸術的実践の未来に関する考察から生まれたのだ。その基礎をなす公準――人間関係の領域を芸術作品の場所とみなす――は、あらゆる美的実践の自明の背景として、あるいはモダニストの主題として、事後的に見出されることがあったにせよ、〔それを出発点に据えた芸術動向は〕美術史上例を見ないものである。ところでマルセル・デュシャンが一九五四年〔一九五七年〕に行なった講演『創造過程』[三]を顧みれば、アートの相互作用性を探究することが、とりわけ新しい取り組みとは言えないことが分かるだろう……。リレーショナル・アートの新しさは別の点にある。一九九〇年代のアーティストたちにとって相互主観性や相互作用性は、目新しい理論的ガジェットでも伝統的な芸術的実践を延命するための補助具（口実）でもなく、彼らの活動の出発点であると同時にその終着点であり、要するに〔作品の意味を導くための〕情報提供者（アンフォルマトゥール）の役割を果たすものなのである。彼らの作品の展示空間は、相互作用的な関係の、すなわちあらゆる対話を促す（ジョルジュ・バタイユならば〈割れ目（デシリュール）〉と呼ぶであろう）空間である。リレーショナル・アートが生産するのは関係的な時空間であり、マス・コミュニケーションのイデオロギー的拘束から逃れるための間人間的な経験であり、言わばオルタナティヴな社会的行動、批評モデル、構築された交歓性の時間が生み出される場所なのだ。しかし新しい人類の時代も、未来を目指して発せられる宣言も、お膳立てされた、より良い世界への望みも、完全に過去のものであることは明らかだろう。今日のユートピアは個人的な日常の中に、つまり具体的かつ意図的に断片化された実験が行われる、現実の時間の中に存在しているのである。芸術作品はこうした実験を行うための、新たな〈生の肯定〉を可能にする社会の間隙として現れる。今や隣人たちと可能な関係を築くことこそが、幸福な未来を歌い上げることよりも、より差し迫ったアートの課題であるように思われる。それがすべてであり、それは途方もない企てなのだ。いずれにせよリレーショナル・アートは、芸術理論における〈良識〉の復権と——少なくともフランスでは——見なされていた抑圧的、権威主義的、反動的な思想に対する待ち望まれていたオルタナティヴなのである。それでも売文知識人や新伝統主義者（誉れ高き〈美〉の守護者デイヴ・ヒッキー）、もしくはジャン・クレールのような懐古主義の闘士たちが擁護するおぞましい順応主義に抵抗するための、美的実験や思想的冒険への期待の中に近代性は受け継がれている。昨日の良き趣味を頑なに信奉する教条主義者たちが何を考え、どう言おうとも、現在のアートは二十世紀の前衛のドグマと目的論を斥けた上で、その遺産を十全に受容し受け継いでいるのである。安心して欲しい、この一文は熟慮の上、書くべきときに書かれたのだから。モダニズムはジルベール・デュランの言う〈想像的対立〉に浸りきっており、分離と対立の手続きを経て、未来のために進んで過去を貶めるのである。モダニズムは対立をその基礎に置くが、我々の時代の想像力は交渉、連帯、共存に基づいている。我々はもはや敵対的対立による進歩を求めず、新しい組み合わせを創出し、独立したさまざまなまとまりのあいだに可能な関係を作り出し、多様なパートナーとの同盟を築くのである。[三] 美的契約は社会契約と同様に、現実に存在しているものとの間で結ばれる。人々はもはや地上の黄金時代の復活など望んではいない。我々はより公正な社会関係を、より充実した生活様式を、そして多様性に富んだ組み合わせの実現を可能にする生き方 [modus vivendi] を、喜んで受け入れるのである。かくてアートはユートピアを描こうとすることを放棄し、むしろ具体的かつ現実的な空間の構築を試みるのだ。

一九九〇年代のアートの時空間

ここまでに示してきた〈関係的〉な手続き（招待、キャスティング、出会い、交歓(コンヴィヴィオ)の場、待ち合わせなど）の目録は、すでに我々に共有されている形式――特異な思想と、諸個人の世界との関係を展開する手段(ヴェイキュル)――を列挙しているものに過ぎない。今後アーティストたちがこれらこうした関係の生産に与える形式は、現在と同じものではありえないだろう。彼らはみずからの作品を三つの――美学的（いかに物質に〈翻訳〉するか）、歴史的（いかにして美術史の参照ゲームへの登記をなしとげるか）、社会的（現行の生産条件と社会関係の中で、いかにして一貫性した立場を見出すか）――観点から捉えているのだ。彼らの実践が、コンセプチュアル・アート、フルクサス、そしてミニマル・アートの形式的および理論的特徴を受け継いでいるように見えたとしても、彼らはそれを基本的な語彙として用いているにすぎない。ジャスパー・ジョーンズ、ロバート・ラウシェンバーグ、ヌーヴォー・レアリストらは、彼らの造形的なレトリックと社会学的言説の根拠としてレディ・メイドに依存していた。一方リレーショナル・アートは、フルクサスから着想を得た状況や方法論、あるいはゴードン・マッタ＝クラーク、ロバート・スミッソン、ダン・グレアムらを参照するが、その表現はまったく異なる思想に基づいているのだ。リレーショナル・アーティストの本当の問いは次のようなものである——現在の文化史的および美術史的文脈において、アートを適切に展示するためには、どのような手法を取るべきか。たとえば、今やヴィデオは広く普及したメディウムであるが、〔自らの実践の〕記録のためにヴィデオを重用するピーター・ランド、ジリアン・ウェアリング、ヘンリー・ボンド——ここでは三人の名前を挙げるに留めるが——らを〈ヴィデオ・アーティスト〉と見なすことはできない。彼らがヴィデオをメディウムとして使うのは、それが彼らの活動やプロジェクトの形式化に〔機能的に〕最も適しているからであり、それ以上の意味はないのである。あるいは、コンセプチュアル・アートのように体系的なドキュメンテーションに取り組むアーティストがいたとしても、彼らはコンセプチュアル・アートとは根源的に異なる美学的基盤に立脚しているのだ。コンセプチュアル・アートを基礎付けていた管理主義的合理性[四]（それは一九六〇年代のアートにあまねく影響を及ぼしていた）から離れ、リレーショナル・アートは共同生活を組織するための柔軟で流動的な手続きから、より多くの着想を得ている。その手続きをコミュニケーションと呼んでもいいだろう。しかしここでも、今日のアーティストたちは先行世代がマスメディアを利用していたのとは正反対のアプローチを取る。先行世代がマス・コミュニケーションのヴィジュアルやポップ・カルチャーのアイコンに接近していたのに対し、リアム・ギリック、ミルトス・マネタス、ホルヘ・パルドらはコミュニケーションを成り立たせる状況の縮尺モデルに取り組んでいるのだ。これは集合的感性の変化の現れとして解釈できる。これより我々は、グループをもってマスに対抗し、隣人とのつながりをもってプロパガンダに対抗し、〈ローテク〉をもって〈ハイテク〉に対抗し、触覚をもって視覚に対抗するのである。なによりも、今や日々の生活こそが〈ポップ・カルチャー〉よりも肥沃な〔形式の〕土壌となるのだ。ポップ・カルチャーは〈ハイ・カルチャー〉との対比を通じてのみ存在するのであり、その分離を強調する形式に他ならないのである。

いわゆる〈コンセプチュアル・アートへの回帰〉を巡る論争を終わらせるには、リレーショナル・アートが非物質性を祝福したことなど一切ないことを思い出してみれば良い。彼らは誰一人として〈パフォーマンス〉やコンセプトに特権的な地位を与えてはいない。もはやこの二つの語は彼らにとって重要ではない。作品の物質的様態よりも重要な制作過程など存在しないのである（プロセス・アートやコンセプチュアル・アートは、観念的なプロセスをフェティッシュとして崇拝するあまり、物質性を蔑ろにしてしまった）。一九九〇年代のアーティストたちが作り上げる世界の中では、事物は言語の不可欠な一部をなしており、どちらも他者との関係を媒介するものなのだ。ある意味で、事物は電話をかけることとまったく同様に非物質的でありえるし、スープを囲むディナーからなる作品は彫刻と同じく物質的でありえるのだ。身振りと、それが生み出す形式との恣意的な分離、すなわち現代における疎外のイメージこそが問題なのである。芸術制度の枠内においてさえ、物理的対象〔としての完成した作品〕は制作手法の問題を不問に付すとか、芸術的意図は知的妥当性や倫理的配慮の欠陥を正当化するとかといった妄言がまことしやかに語り継がれているのだ。事物と制度、時間の使い方と作品は、人間関係に依存するもの——社会的労働が具体化されたもの——であると同時に、関係を生産するもの——さまざまな社会的様態を組織し、諸個人の出会いを制御するもの——なのである。こうして今日のアートは、これまでとは別の仕方で空間と時間の関係を考察するよう我々を導くのだ。さらに言えば、リレーショナル・アートの本質的な独自性は、空間と時間との関係の扱い方に由来する。リアム・ギリック、ドミニク・ゴンザレス＝フォルステル、ヴァネッサ・ビークロフトは何を具体化するのか。彼らの仕事(トラヴァイユ)によって構成される最終的な対象とは何か。いくつか比較対象を挙げるため、アートの使用価値の歴史に触れる必要がある。ジャクソン・ポロックやイヴ・クラインの作品を購入するコレクターは、作品の美的な側面への興味からではなく、美術史上の転換点への関心から作品を購入したのだ。コレクターが購入するのは特定の歴史的状況である。ちょっと前であれば、ジェフ・クーンズの作品を購入するのは、芸術的価値としてのハイパーリアリティを重視したからだろう。〔一方〕ティラヴァーニャやダグラス・ゴードンのコレクターが所有するのは、物理的対象——それ自体が内包する関係に対する我々の関係、すなわちある関係に対する関係を規定する——に具現化された世界との関係に他ならないのである。

第四章　共存と可用性（ディスポニビリテ）——フェリックス・ゴンザレス＝トレスの理論的遺産

小ぶりな、モニュメンタルな印象を与えるほどには大きくない紙のキューブ、それが同じポスターを積み重ねたものであることは一見して明らかである。紙の中央部分は空色に印刷され、フレームのように幅広の白い縁取りが施されている。上面の色は、紙の積み重ねによって実際より濃く見える。キャプションには、「フェリックス・ゴンザレス＝トレス、《無題（青い鏡）》、一九九〇年、紙にオフセットプリント、エンドレス・コピー」とある。観客は、積み重ねられているポスターを一枚ずつ持ち帰ることができる。しかし、もし大勢の来場者がやって来て、抽象的な観客に向けて提供されているポスターを次々に持ち去ってしまったとしたらどうなるだろうか。作品を変質させ、はては消滅にさえ至らせるようなプロセスとはいかなるものか。なぜならそれは〈パフォーマンス〉でも、単なるポスターの配布でもなく、明確な形式と密度を与えられた作品なのだから。それは構築（あるいは解体）のプロセスを見せようとしているのではなく、観客の中にその存在の形式を拡散させようとする作品なのだ。ゴンザレス＝トレスが提起した交歓（コンヴィヴィアル）的な贈与や芸術作品の可用性に関する問題系が、今やアートの本質的な問いになっていることは明らかである。そうした問題は今日の美学の核心に再び見出されるだけではなく、我々と事物との関係の本質にまで関わっているのだ。このキューバ人アーティストの作品は、一九九六年一月の彼の死後も、現在的な文脈――その形成にはトレスの実践が大いに影響している――における批判的再検討が求められているのである。

共存のパラダイムとしての同性愛

最近の流行にのってフェリックス・ゴンザレス＝トレスの作品をネオ・フォーマリズムの問題系や、ゲイ・アクティヴィズムの系譜に還元するのはあまりにも安易に過ぎる態度である。なぜなら彼の作品の強度は、形式を道具化する彼の技巧と、特定の共同体への同一化を回避して人間的経験の核心に触れる彼の能力の両方に由来するのだから。従って彼にとって同性愛は、言説的なテーマというよりも感情の次元を、芸術形式を創造する生の形式を表象するものなのだ。フェリックス・ゴンザレス゠トレスは、間違いなく、同性愛の美学の基礎を――ミシェル・フーコーが、それに着想を得て、創造的、倫理的原理としての性愛関係という思想を確立したのと同様の意味において――説得力ある仕方で〔作品として〕提示した最初の人物であると言っていいだろう。両者とも普遍的なものへの跳躍を望んだのであり、カテゴリー化など望まなかった。ゴンザレス゠トレスにとって同性愛とは、明確に区分けされる単一のコミュニティなどではなかった。それは、すべての人びとに共有可能な、誰しもが同一化できる生活のモデルだったのだ。

さらにこの同性愛の美学は彼の作品の中に、主に対立なき二重性によって特徴づけられる特定の形式の領野を生成した。彼は〈二〉という数を示唆する作品をいくつも制作しているが、それが二項対立の意味で用いられたことは一度もなかった。したがって我々が眼にしたのは、同じ時刻を指して止まった二つの時計（《無題（パーフェクト・ラヴァーズ）》、一九九一年）、身体の痕跡が残るしわくちゃのベッドに置かれた二つの枕（《二十四枚のポスター》、一九九一年）、壁に掛けられた絡み合うコードの先にぶら下がる二つの裸電球（《無題（三月五日）》#2、一九九一年）、並んだ二枚の鏡（《無題（三月五日）》#1、一九九一年）などである。ゴンザレス゠トレスの美学の基礎をなすのは二つ一組の単位なのだ。孤独は〈一〉によって表現されるのではなく、〈二〉

の不在として示される。それゆえ彼の作品は、古典的モチーフであるカップルの表現史において、重要な契機として位置づけられるのだ。それはもはや、対立と相違の繊細なゲームを繰り広げながら互いに補い合いつつ、引力と斥力の相反する運動に突き動かされる、不可避的に異質な二つの現実の加算ではない（ファン・エイクの《アルノルフィニの婚約》や、《王と王妃》に見られるデュシャン的象徴を思い起こしてみるといいだろう）。ゴンザレス＝トレスの描き出すカップルは、二の穏やかな統一として、あるいは、二つの焦点をもつ一組の円（《無題（ダブル・ポートレート）》、一九九一年）として特徴づけられる。彼の作品の形式的構造は調和的な偶数性であり、他者を自己へと包摂することである。その構造は無限に衰えていくのだが、間違いなくそれが彼の実践の主要なパラダイムを構成しているのだ。

ゴンザレス＝トレスの作品を自伝的作品と形容することは魅力的な提案ではある。彼自身、作品の中に自らの人生を仄めかすような要素を数多くちりばめているのだから（ジグソーパズルを使った作品は極めて個人的な色彩を帯びているし、キャンディの作品はボーイフレンドのロスの死をきっかけに登場した）。しかし、この提案には明らかな欠陥がある。ゴンザレス＝トレスが語るのは個人の物語ではなく、始めから終わりまで、カップルの、すなわち共存の物語なのだ。彼の作品は共に生きる恋人たちの間で育まれる、さまざまな関係の形態に従って分類できる――

出会いと結合（〈ペア〉の形式をとるすべての作品）、他者を知ること（《ポートレート》シリーズ）、共同生活、連なる幸福の瞬間（電球や旅のイメージに象徴される）、別離、作品に偏在する不在のイメージ、病《無題（ブラッドワーク）》（一九八九年）、《無題（血）》（一九九二年）の赤と白のビーズ、そして追悼（パリのスタインとトクラスの墓、黒く縁取られた白いポスター）。

概してゴンザレス゠トレスの作品に自伝的側面が存在していることは間違いないが、それは他者と分有される自伝であり、二つの顔をもつ自伝なのだ。最初の個展が開催された一九八〇年代半ば、このキューバ人アーティストは早くも相互主観性が生み出す空間の可能性を予示していた。それこそ続く十年間に現れた最も興味深いアーティストたちが追求することになる空間である。彼らのうち今や成熟の段階に達している数名の名を挙げるなら、リクリット・ティラヴァーニャ、ドミニク・ゴンザレス゠フォルステル、ダグラス・ゴードン、ホルヘ・パルド、リアム・ギリック、フィリップ・パレーノらであろう。彼らはそれぞれ独自の問題系を巡る作品を展開する一方、作品のコンセプトとその伝達手段（彼らの生産様式は明らかに間人間的な関係に基づいて構成される）において、人間関係の場を優位に置いている点で共通している。ドミニク・ゴンザレス゠フォルステルとホルヘ・パルドは、ゴンザレス゠トレスと最も多くを共有するアーティストたちだろう。前者は最も個人的で入り組んだ記憶を明確かつ簡潔な形式に変換することによって、個人的で親密なイメージを公共的な想像力のインターフェイスとして探求する点を共有しており、一方後者はミニマルであると同時にはかなく繊細な形式的レパートリーと、時空間的課題を〔家具や装飾品などの〕機能を有する事物の幾何学的形態化を通じて解決する能力とを共有する。ゴンザレス゠フォルステルもパルドも、その関心の中心には色彩がある。そしてゴンザレス゠トレスの柔らかな色彩（繰り返し使われる空色と白、そして今日において新たに死の象徴としての意味を持ち始めた〔エイズ禍以後の時代の〕血液を表現するときにだけ現れる赤）は、彼の〈スタイル〉と呼んでよいだろう。

他者の包摂は単に主題となるだけではない。それは作品形式を理解する上で本質的な重要性をもつ。人はしばしば、ゴンザレス゠トレスによるすでに歴史化された形式の〈再利用〉や、ミニマル・アート（紙を積み重ねたキューブ、ソル・ルウィットのドローイングを思わせるダイアグラム）、アンチ・フォームとプロセス・アート（部屋の隅に積まれたキャンディは六〇年代末のリチャード・セラを想起させる）、そしてコンセプチュアル・アート（白黒のポスターとポートレートのシリーズはコスースの作品を思い起こさせる）などの美学的レパートリーの再活性化の側面を強調する。しかしここでもまたカップルであること、共存することが重要なのだ。ゴンザレス＝トレスの問いは次のように要約できるだろう――「あなたの現実の中で、私はどのように生きることができるのか」、あるいは「二つの現実の出会いは、それぞれの現実をどのように変えるのか」……。一九六〇年代のアートの構造にアーティストの親密圏を注入することで、前例のない状況が生み出され、これらの作品解釈の重心は、フォーマリズムから精神分析学的アプローチへと遡及的に移行した。もちろんこうした見直しは美学的選択の結果でもある。つまり、芸術作品の構造は単一の意味作用に限定されないということなのだ。一方、ゴンザレス＝トレスが好んで用いた簡潔な作品形式は、内容の悲劇性や攻撃性と強烈な対照をなしている。しかしその本質は、ゴンザレス＝トレスが目指した融和の地平、すなわち美術史との関係さえも含む、調和と共存の希求にあるのだ。

モニュメントの現代的形式

我々が〈芸術作品〉とみなすすべての対象に共通しているのは、現実というカオスの中で、人間の実存の意味を生産する（可能な道筋を描きだす）力である。こうした定義を受け入れることが出来ない人々、すなわち〈意味〉は人間の行為に先行して存在すると考えている多くの人々は、コンテンポラリー・アートを十把一絡げに断罪するのである。意味とは、社会的交換や集合的な合意形成に先行して決定済みのものと考える彼らにとって、積み上げられた紙は優れた作品として受け入れることの出来ないものだろう。世界は人類が言葉と形式をもって対峙するカオスそのものであるということを、彼らは決して認めたくないのだ。彼らは出来合いの意味（と超越論的道徳）を、その保証となる起源（回復されるべき秩序）を、そして規範的コード（さあ絵画を！）を望んでいる。少数の例外を除き、アート・マーケットは彼らにほぼ全面的に賛同しているようだ。資本主義経済の非合理性は、構造的に信仰の足がかりを必要とするのである。米ドル紙幣の高邁な標語〈我ら神を信ず（イン・ゴッド・ウィー・トラスト）〉は、意味もなく掲げられているわけではない。芸術への投資の大部分は、一般良識によって価値を承認された作品を対象とするのである。

したがって、人は制作過程や状況を包み隠さず明らかにする現代のアーティストたちを見ると不安な気持ちになるのだ。そして彼らの作品を〈概念的にすぎる〉と非難するのである（彼らはこのように言うことで、怠惰のうちにも確かに存在する本能——未知の、理解不能な形式を嗅ぎ分ける——の存在を示しているというわけだ）。しかし、九〇年代のアートの相対的な非物質性（物理的対象としての作品を制作しないという意思表示ではなく、空間よりも時間に優位を置く姿勢の現れ）は、美学的なラディカリズムや、事物を作り続けるというマニエリズムへの拒絶によって動機づけられているのではない。彼らは対象や意味の生成過程それ自体を探求し、明らかに示そうとしているのである。フィリップ・パレーノは、物理的対象としての作品は展覧会のプロセスの「幸せな結末(ハッピーエンド)」のひとつにすぎないと言う。それは制作過程の必然的帰結ではなく、ひとつの事件(エヴェヌモン)なのである。例えばティラヴァーニャの展覧会は物理的要素を排除しているのではなく、美術作品としての事物のさまざまな様態を一連の出来事へ解体し、それぞれに適切な持続――それは必ずしも凝視の対象としての絵画のような、伝統的なかたちでの持続である必要はない――を与えるものなのだ。我々の主張の焦点はここにある。現在のアートは、長期的に持続する古典的〈モニュメント〉をうらやむものではない。コルネリュウス・カストリアディスにならって言い換えるなら、それは、これまでになかったような仕方で「来るべきすべての人びとにむけた、破滅の淵にありながら意味作用を創造する可能性を証明すること[1]」なのであり、まさに限定的かつ一時的であるがゆえに永遠に触れることができる形式的解決なのである。

　フェリックス・ゴンザレス＝トレスの実践はこうした野心のプロトタイプであるように思われる。エイズによる死に先立ち、彼は自らの作品を、持続を求める意志に、すなわち感情という最もはかないものを生き延びさせようとする強い意志に結びつけたのだ。彼は生産様式への配慮を怠らず、交換と分有を実践の理論的支柱とした。アクティヴィストとして、彼はアートによる政治参加の新しい形式を推し進めた。ホモセクシュアルとして、彼は倫理的、美的価値にしたがって生きてみせた。

より正確に言えば、彼が提起したのは、アートにおける物質化のプロセスに関わる問題に加え、新しい物質的形式に対する同時代の人びとの理解に関わる問題でもあった。大多数の人びとは、情報の持続時間とアートの耐用期間は、用いられる素材の耐久性に従属するものと理解しており、したがって科学的知識の進歩によって笑い話でしかなくなった類いの偏見にとらわれたまま、暗黙の内に伝統的な物質観に縛られてしまうのだ。死に直面し、死と連れだって進む一個人として、ゴンザレス＝トレスは勇敢にも、みずからの実践の中心に刻印（アンスクリプシオン）＝登記の問題系を位置づける決断を下したのである。

彼はその問題に最も繊細な斜面から、言い換えればモニュメントのさまざまな側面——出来事の記念、記憶の持続、触れることの出来ないものの物質化——から臨んだ。例えばひとつながりの電球の作品は、一九八五年にパリで不意に見かけたささやかな光景から生まれた。彼はその時のことについて、「私はそれを見上げ、すぐに写真を撮った。それは幸せな光景だったから」[2]と述べている。ゴンザレス＝トレスの最もモニュメンタルな作品は、依頼者とのインタビューや会話に基づいて構成されるポートレート・シリーズである。建築物のフリーズ部分に、依頼者の個人的な思い出や出来事が年代記的にまとめられたテキストを描くポートレート・シリーズは、ウォール・ドローイングの形態を採用することで、個人とその生きた時代とを固有の形式において結びつけるという、モニュメントに欠かす事の出来ない機能を果たしているのである。

しかしこの社会的形式の様式化は、暗示される出来事それ自体の重大さ、複雑さ、深刻さと、ミニマルな形式による出来事への言及との間の際だった対照にいっそうはっきりと示されている。したがって予備知識のない観客には、例えば《無題（二十一日間の血液テスト——徐々に悪化）》がミニマリズムのドローイングの連作に見えるだろう。細かなグリッドの上を斜めに走る一本の線は、徐々に減少するエイズ患者の白血球数を直接的に想起させるものではないのだから。しかしひとたび二つの現実（無機質なドローイングと死に至る病）が関連付けられたとき、作品が暗示する意味は強大な力を発揮し、その力は、そこから目を逸らそうとする我々の拒絶の態度、すなわち我々自身が病状とその結末を無意識的に抑圧しているという事実を、我々に自覚させるのだ。ゴンザレス＝トレスのモニュメントや政治的戦略は、あからさまでもこれ見よがしでもない。彼によれば、「隣り合わせに並ぶ二つの時計は、互いのペニスをしゃぶり合う男たちのイメージよりも、権力者たちにとってははるかに脅威なのだ。彼らは〔存在の〕意味を否定し抹消するための攻撃の照準を、私の作品に定めることが出来なくなるのだから(3)」。

ゴンザレス＝トレスは〔直接的な表現で〕観客にメッセージを届けるのではない。彼は暗号化されたメッセージや投瓶通信のように、出来事を形式に刻印＝登記するのだ。ここにおいて記憶は、身体と同様に抽象化される。彼は血液検査の結果を知ったロスに語りかける——「これは完全に抽象的なものだけれど、これが君の身体なんだ。これは生命なんだよ」[一]。恋人同士が一緒に埋葬された墓と周囲の花を撮影した一九九二年の写真作品、《無題（アリス・B・トクラスとガートルード・スタインの墓、パリ）》を展示することによって、ゴンザレス＝トレスは、最も反動的な共和党上院議員ですら、レズビアン・カップルを必然的選択として主題にした作品に、敬意を払わざるを得ないことを実証した[二]。彼はシンプルな静物写真に、モニュメンタルなものの本質を、言い換えれば、道徳的感情の生産の本質を見出したのである。一人のアーティストが慣例的な手続きに反し（写真の額装）、ブルジョア階級の道徳的規範を侵犯（レズビアンのカップルというモチーフ）しながら、こうした感情を喚起させることに成功したという事実は、この意図的に極めて控えめに作られた作品の、最も傑出した点なのである。

（作品と個人の）共存の基準（クリテール）

ゴンザレス＝トレスの作品は交渉および共存関係の構築に重点を置いており、さらに観客の倫理をも包含する。その意味で彼の作品は特定の美術史——観客に周囲の状況を意識させる作品

（ハプニング、六〇年代の「環境芸術」、サイト・スペシフィック・インスタレーション）の歴史――に属している。

私がゴンザレス＝トレスの個展を訪れた際、両手とポケットをキャンディでいっぱいにした観客たちの姿を目にしたことがある。それは彼らの社会的行動、フェティシズム、蓄積された世界認識の反映なのだ……。他方、こうした厚かましい行動に踏み切れずにいる観客もいる。もしかするとそのような観客は、他の人がキャンディをくすねるのを待ってから行動しようとしているのかもしれない。こうして山積みのキャンディは、一見取るに足らない外見を装いながら、倫理的な問題――観客と美術館の関係、観客に対する警備員の介入の仕方、観客の規範意識、観客と芸術作品との関係の本質――を提起するのだ。

交換に基づく感性的経験の機会を提供する芸術作品の評価は、既存の社会的現実に対する評価基準と同様の基準にしたがって下されなければならない。今日の芸術的経験の前提は作品と観客とが同じ世界に共存していること――象徴的にも、現実的にも――である。作品を前に、我々がはじめに問うべきは、

・作品は、私が作品の前に存在する機会を与えてくれるのか。あるいは、その逆に私を主体として認めず、その作品構造において他者について考慮することを拒むのか。

・作品が暗示もしくは描写する時空間は、それを規定する諸法則とともに、私が現実生活の中で望むものに対応するのか。

・作品が批判するのは、私が批判できるものなのか。

・私は作品の時空間に対応する現実の時空間のなかで生きることができるのか。

こうした問いはアートの過度な擬人化に依拠するものではなく、端的に人間的観点から発せられるのだ。私の知るところでは、死の宣告を受けたか、あるいはファシスト的＝原理主義的歴史観（意味と起源の間に閉じ込められた時間）の信奉者でないかぎり、アーティストは自らの同時代人たちに向けて作品を届けているのである。私が一貫して関心を寄せている今日の芸術作品は、間隙として、つまり観客を現に管理している経済を迂回する別の経済が行われる時空間として機能する。この世代のアーティストの仕事（トラヴァイユ）で最も印象的なのは、民主主義への配慮が、彼らの作品を駆動させていることである。アートは日常的な関心事を超越するものではなく、世界との特異な関係を通じて、すなわちある虚構を通じて、我々を現実に向き合わせるのだから。権威主義的なアートが、現在の不寛容な社会とは異なる現実の可能性——それが夢想的なものであれ、〔現実として〕受け入れられるものであれ——を観客に提示することなどあろうはずがない。対照的にゴンザレス＝トレスや、最近の例を挙げればアンジェラ・ブロック、カールステン・ヘラー、ガブリエル・オロスコ、ピエール・ユイグらの展覧会は、観客に対する制作者のア・プリオリな優位性（言い換えれば、制作者の神聖性）を築くことなく、開かれた関係において観客との交渉を可能にする形式を通じて、すべての観客に〈可能性を残しておく〉配慮によって組織されている。したがって観客の立場は、受け身な消費者と、目撃者、協力者、依頼人、招待客、共同制作者、主人公などさまざまな立場の間を揺れ動くのである。しかし注意深く見守らなければならない、我々は態度が形になることをすでに知っているが、今後は形式から社会モデルが導かれることになるのだから。

展覧会の形式もまた、この警告から逃れることはできない。少し前から目につくようになった「驚異の部屋（キャビネ・ダマトウール）」の氾濫と、アート業界内部の特定のプレイヤーによるエリート主義的態度は、どちらも公共空間の実現や美的共有の実験に対する強い恐怖感の現れを証言するものであり、アートを専門家にあてがわれる閨房へと導こうとする形式なのだ。〔作品に用いられる〕事物の可用性（ディスポニビリテ）が、自動的に〔作品を〕通俗化させるわけではない。ゴンザレス＝トレスの山積みされたキャンディのように、形式とその消滅のプログラムの、視覚的な美しさと控えめな身振りの、イメージがもたらすシンプルな驚きと解釈の次元の複雑さの、それぞれの間には理想的な均衡が存在しうるのである。

作品のアウラは観客に移行した

今日のアート――先ほど名前を挙げたアーティストたちに加え、リンカーン・トビエ、ベン・キンモント、アンドレア・ジッテルらを含む――は、制作過程の時点で、完成後に作品を受容することになるであろう共同体の存在を考慮に入れている。彼らの作品は、その生産過程のうちに、そして展示の瞬間に、つかの間の観客＝参加者の集合を作り上げるのである。

ゴンザレス＝トレスは、ル・マガザン〔国立現代美術センター・グルノーブルの通称〕の展覧会で、空間を青く塗り上げ、テーブルにスミレのブーケを置き、クジラに関する資料を配置するなど、カフェテリアの空間に変更を加えた。一九九三年にジェニファー・フライ・ギャラリーで開催された個展では、電球を周囲に配したお立ち台を設置した（《無題（アリーナ）》）。台の上には二台のウォークマンが置かれ、観客はギャラリーの中にいながら恋人あるいは友人と一緒に、光の輪の中で黙々とダンスに興じることができた。どちらの事例においても、〈観客〉は作品に生命を与え、作品を完成させ、そして意味を練り上げるプロセスに関与するために、ゴンザレス＝トレスが用意した装置の中で自らの行為を選択するよう促される。そこには安っぽいガジェットの騒々しさなど微塵も感じられない。これら（〈インタラクティヴ・アート〉と誤認されるような）作品は、実際にはミニマル・アートの系譜に連なるものである。ミニマル・アートの背景には現象学的態度があり、観客の存在が作品に不可欠な要素として見積もられているのだ。そしてマイケル・フリードは、ミニマル・アートの作品経験における観客の視覚的〈参加〉を〈演劇性(シアトリカリティ)〉と名付け、そして告発したのだった。「リテラリズムの芸術〔=ミニマル・アート〕の経験は、状況を含む客体の経験である——それは定義上、実質的に鑑賞者を含んでいるのである」(4)。当時のミニマル・アートが、我々の知覚の条件を批判的に分析するためのツールの役割を果たしていたとして、《無題(アリーナ)》のような作品が単に視覚領域にのみ属するのでないことは明らかである。その身体、その歴史、その行為すべてをもって、観客は作品と関わる。そこにあるのは抽象化された肉体などではない。対してミニマル・アートの空間は、視線とその対象である作品を分離する距離によって生み出される。ゴンザレス=トレスの作品を規定している空間は、ミニマル・アートに類似した形式を通じて、相互主観性のうちに、すなわち作品経験に対する観客の感情的、能動的、歴史的応答のうちに生成される。作品との出会いが生み出すのは(ミニマル・アートとの出会いによって生み出されるような)、ある空間ではなく、ある持続である。操作する時間、受容の時間、意思決定の時間、それらは、見ることによって作品を〈補完する〉こと以上の意味をもっている。

一九三五年にヴァルター・ベンヤミンが鮮やかに描出して見せたように、モダン・アートは芸術作品におけるアウラの消滅という現象を伴って現れ、それを克服しようとし、その進行を加速させたと言っていいだろう。〈無制限の機械的複製〉の時代は、伝統的にアートと結びつけられてきた疑似宗教的効果――ベンヤミンが「ある遠さが一回的に現れているもの[三]」と呼んだ効果――を確実に衰えさせた。それと並行して近代は、解放をめざす動きの一環として、個人に対する集団の優位を批判し、集合的な疎外の形式を体系的に批判してきた。では今日の我々が目撃しているのは何か。それはいたるところで復活しようとしている神聖性である。人々は伝統的なアウラの復活を漠然と望んでいる。現代の個人主義に抵抗するための言葉が不足しているのだ。近代のプロジェクトの一局面は終わったのである。二世紀にわたって続いた、特異性を擁護し、集合化の欲動に抵抗する戦いの後で、我々は数多くの作品に溢れかえる退行的ファンタジーを退けるために、新たな総合を起動させなければならない。近代性が育んだ現代の文化に多様性を再導入すること。それは、家族関係、テクノロジーが生み出す交歓のゲットー、そして我々が不可避的に従属させられている現行の公的制度、それらを乗り越える多様な共存のモードと相互作用的な諸形式の創出を意味する。近代を今なお有益なものとして延長するには、それが未解決のまま残した対立を乗り越えるほかに方法はない。今日のポスト工業化社会において最も差し迫った要請は、もはや個人の解放ではなく、個人間のコミュニケーションを解放することであり、実存における関係の次元を解放することなのである。

　媒介のためのさまざまな手段や移行対象［objets transitionnels］一般に対する、そしてその延長として観客に向けて個人の世界観を伝達する媒体（メディウム）とみなされる芸術作品に対しても、再検討が求められている。今やアーティストとその制作物との関係は、観客からのフィードバック領域を経由するものへと移行しつつある。その実例がここ数年来増加している、他者との関係のさまざまな可能性を探求する交歓的（コンヴィヴィオ）、祝祭的、集合的、そして参加型のアート・プロジェクトなのである。こうした動向を通じて、観客の存在はますます重要視されるようになった。それはまるで《ある遠さの一回的な現れ》である芸術作品のアウラが、今後は観客によって供給されるかのようであり、イメージの前で再編成される極小の共同体が、アウラ――作品の背後に現れる〈遠さ〉――の源泉になったかのようでもある。いまやアートのアウラは、作品に表象される背後世界［arrière-monde］や造形的形式それ自体にではなく、［作品の前で］作品展示の際に一時的に作り出される集合的形式に宿るのである。

　コンテンポラリー・アートにおける共同体の意味は、強硬な保守主義を擬装するために用いられるコーポラティズムにあるのではない（今やフェミニズム、反人種差別主義、そしてエコロジーは、構造的な問い直しに曝されることなく、しばしばロビー活動としてパワーゲームに取り込まれてしまっている）。コンテンポラリー・アートは、芸術作品のアウラを拒絶したのではなく、その起源と結果の位置を置き換えたのであり、それによってモダン・アートからの本質的な転換を成し遂げたのである。ジェネラル・アイディアの代表作《観客のボキャブラリーに向けて》［Towards an audience vocabulary］（一九七七年）の意義は、客体としてのアートの段階を飛び越え、直接観客に語りかけ、振る舞い方を提案することによって、まさにこの転換を作品化したところにある[四]。作品のアウラは観客の自由な連帯によって再構築されることになったのだ。しかし観客の存在を神話化してはならない。観客を「大衆」という観念に一元化することは、観客たちの一時的な集合的経験をファシストの美学——それは観客たちをそれぞれの同一性に固執させる——に結びつけてしまうのだ[5]。観客たちを一時的に結びつけるのは、個人を同一性というトーテムの周囲に固着させる社会的しがらみなどではなく、アーティストがあらかじめ設定した契約条件に基づくつながりなのである。コンテンポラリー・アートのアウラは自由な連帯に宿るのだ。

美は答えか？

今日の文化を揺り動かしている反動的動向のなかで、もっとも目に付くのは美の観念の地位を回復させようとする企みである。それはさまざまな名のもとで展開されている。歯に衣着せぬ物言いで知られ、現在の規範回帰運動の最も強力な先導者と目される美術批評家のデイヴ・ヒッキーの著作に、我々はこの企みを見出すことが出来るだろう。彼の著書『不可視の竜——美に関する四つの論考』[6]のなかで、ヒッキーは、美の具体的な内容についてはあまり明確にしていない。それでも美について彼が示した最も明確な定義は次のようなものである——美は「観客に視覚的快楽をもたらす媒介である。観客の快楽に根差していないイメージ理論は、有用性の点で問題があり、自ずと矛盾へ追い込まれる」。

ここには検討すべき二つの鍵概念が含まれている——（a）有用性、そして（b）快楽である。ここから必然的に引き出される結論は、有用性を持たない作品、すなわち観客にとって有益（一定量の快楽をもたらすこと）でない作品は無意味である、というものだ。不愉快な比較は避けたいところではあるが、この種の美学が代表しているのは、アートに適用されたレーガン＝サッチャリズムの道徳観の一例であることを認めざるを得ない。ヒッキーは快楽をもたらすものの〈アレンジメント〉の本性について全く考察していない。彼は、伝統的な美学の支柱であり、ルネサンスの傑作と同じくナチのアートの基礎をなす、シンメトリー、調和、節制、均衡などの美的範疇を自然に受け入れるというのだろうか。

その曖昧さにもかかわらず、ヒッキーの記述には彼の理論の本質がいくらか含まれている。〈美しいものは売れる〉と書くとき、我々は彼の言わんとするところをより明瞭に理解することができる。続けて彼は、アートは偶像崇拝や広告と混同されてはならない、しかし「偶像崇拝も広告も確かにアートであり、偉大な芸術作品は、不可避的に、その両方を多少なりとも含むものなのだ[7]」と付け加える。私はそのいずれについても判断を保留し、著者自身に発言の責任を委ねる。

アートの美、あるいはその代わりになるものの問題に立ち返ると、アーサー・ダントーの「制度主義」（制度の〈承認〉がアートを作り出す）の立場[五]は、ヒッキーのようなフェティシズムに基づく非合理主義の潮流に比べ、より私の考えに近いように思われる。ヒッキーが美と呼ぶアレンジメントは、〈本来的に〉極めて相対的なものなのだ。趣味は、世代から世代へと受け継がれる交渉、対話、文化的摩擦、そして視点の交換によって練り上げられるのである。たとえばアフリカ美術の発見は、一連の調停と議論の末に、我々の美的規範を根本的に変化させた。十九世紀末にはエル・グレコの絵画は古物商の店頭に並べられていたし、古代ギリシャとドナテッロとの間には〈本物の〉彫刻は存在しないとされていたことを忘れてはならない。しかし、ダントーが掲げる「制度的価値判断」の概念も限定的に過ぎるように思われる。絶え間なく続く芸術の領地を確定するための争いには、アーティストの〈野生の〉実践から支配的なイデオロギーにいたるまで、数多くの〔異質な〕アクターが関わっているのだ。

しかし、一方で我々は、フェリックス・ゴンザレス＝トレスのなかにヒッキーが美と呼んだものへの憧憬を、すなわち彼が常に簡潔さと形式的調和を追求していることを認める。それはいわば限りない繊細さ、視覚的であると同時に倫理的な美徳と呼ぶべきものである。そこにはいささかの過剰も、押しつけがましいわざとらしさもない。彼の作品は視覚に対しても感情に対しても攻撃的なものではない。すべては暗示的で控えめ、流動的であり、美容術やボディビルディングが追求するような、〈視覚的インパクト〉とは無縁である。ゴンザレス＝トレスは飽くことなく造形的クリシェと戯れ、それに再び命を吹き込む。曇り空の眺め、サテン調の印画紙にプリントされた砂浜の写真など、陳腐に過ぎて観客をいらだたせるようなイメージが、見るものに強い印象を与える。ゴンザレス＝トレスの作品は、無意識の情動を包み込んでいる。だから私は、積み上げられたキャンディのまぶしく輝く包み紙を前に、子どものような驚きを抱かずにはいられない。「スタックス」の厳格にして簡素な外観は、その存在の脆さと不安定さによって均衡を保っているのだ。

人はそれを安っぽい感傷を弄んでいる、あるいはクリスチャン・ボルタンスキー以降の、ありふれた即席の感動を押し売りする美学に過ぎない、として非難するかもしれない。しかし本当に重要なことは、この種の感情が何をもたらすのか、何へ向けられるのか、アーティストはいかにして、そして何を目的としてそうした感情へ訴えかけるのか、なのである。

第五章　関係的なスクリーン

今日のアートとテクノロジー

モダニズムの芸術理論は、アートと技術の同時代性を公準とし、社会的秩序と美的規範の間に存在するらしい分かちがたいつながりを信じていた(二)。今日の我々は、両者のつながりの本質をより慎重に、より用心深く考察し、明らかに示すことができるようになった。たとえばテクノロジーと芸術的実践は常に手を取り合ってきたわけではなく、また互いの不調和がそれぞれの展開を阻害しないことも明らかになった。一方で我々に見える世界は「インターネットや衛星放送などの技術革新によって」大きく〈拡大している〉が、技術の進歩を誰もが等しく享受できるわけではなく、いわゆる「発展途上の」南半球に生きる人びととシリコンバレーの住民とは、共にますます狭まりゆく宇宙の一部に属しているとはいえ、テクノロジーに関して同じ現実を経験しているとは言えないだろう。そうした事実に目をつぶるには、極端な自民族中心主義を振りかざすしかない。他方、テクノロジーがもたらす解放の力に対する我々の楽観的展望は急激にかすみつつあり、今や情報理論、イメージ・テクノロジー、原子力などは、我々の生活を向上させると同時に、生命を脅かし、人間を奴隷化する道具でもあることを我々は知っている。アートとテクノロジーの関係は、一九六〇年代のそれよりもずっと複雑になった。写真が誕生した当時、それはアーティストと素材との関係そのものを変えたのではなかったことを思い出そう。そのとき、印象派に見られるように、ただ絵画的実践を取り巻くイデオロギーだけが変化したのだ。さて、写真の発明と最近の展覧会におけるスクリーンの増殖との間には、〔テクノロジーがアートに与える影響という観点において〕平行関係が存在するのだろうか。我々が生きているのは、まさにスクリーンの時代なのだから。

ことさら興味深いのは、（映画の）光が投影される面と情報を表示するインターフェイスの両方が、同じスクリーンという名で呼ばれているという事実である。この一つの語における二つの意味の癒着は、映画、コンピューター、そしてヴィデオなど、さまざまなテクノロジーの出現によって引き起こされた認識論的な大変動（新しい知覚構造の誕生）の特性や可能性が、一つの形式（スクリーン、端末）に〔心理的に〕結びつけられているという事実を証言しているのだ。新しい視覚経験に呼応して我々の精神装置の内部に現れるこうした反応を見過ごした結果が、最近の美術史に見られる機械論的分析なのである。

アートと資本財

脱領域化（デロカリザシオン）の法則

美術史家は二つの大きな陥穽にはまる。ひとつは、アートを特定の諸法則によって排他的に規定される、自律した領域とみなす観念論的歴史観である。アルチュセールの表現にしたがって言い換えるならば、それは美術史を出発地、目的地、そして途中の停車駅があらかじめ決められた列車に見立てる立場である。もうひとつは、前者とは正反対の機械論的歴史観である。これは思考様式の変化を、新しいテクノロジーの誕生から体系的に演繹する立場である。しかし、アートと技術との関係はそれほどたやすく体系的に説明できるものではない。重要な技術的革新——例えば写真——はアーティストと世界との関係に加え、あらゆる表象の様態を変化させたことは間違いない。しかし、テクノロジーがもたらすもののなかには、すぐに使えなくなるものもあれば、時間を経て可能性に変わるものもある。写真の場合、その写実的描写の影響が次第に時代遅れになって行く一方で、それが可能にした新しい視野の切り取り方（例えばドガのフレーミング）は正当に承認され、写真装置の働き——光の接触による現実の復元——は、印象派の描画法に根拠を与えた。続いて、近代絵画は機械的記録に還元することのできない絵画の問題（抽象絵画の可能性を開いた絵画の物質性や身振りの痕跡）に集中して取り組むこととなった。さらに第三の段階に進むと、アーティストたちはイメージ生産の技法のひとつとして、写真を自在に活用するようになる。これら三つの態度は写真に関する限り、時系列にしたがって順番に現れてきたが、社会的交換の速度が増すことによって、近年では同時あるいは交互に見られるようになった。こうして第二次世界大戦以降の技術革新は、一方では支配的な生産様式を積極的に受け入れる立場（一九六〇年代の〈メック・アート［Mec-art または Mec'art］〉[二]）から、他方では何が起きようとも絵画の伝統を堅持する思想（クレメント・グリーンバーグが唱導した〈純粋主義〉のフォーマリズム）にいたるまで、アーティストの間に幅広い反応を生じさせた。そのなかで最も大きな成果をもたらしたのは、新しい道具がもたらした可能性を技術そのものとして表現するのではなく、批評意識を持ちながら制作に活かしたアーティストたちだった。だからドガやモネの作品を基礎付けている写真的思考は、同時代に撮影された写真そのものよりもはるかに写真の本質を捉えていたと言えるだろう。我々が主張しているのは、他の媒体［média］に対する絵画の優位性などではない。アートは、それぞれの時代の技術によって実現される生産様式、および人間関係を我々に認識させ、また技術を転用することによってそれをより可視化し、技術が日常生活に及ぼす影響について考慮するよう促すのだ。テクノロジーは、イデオロギーの道具としてではなく、その影響が我々の視野に現れる限りにおいてのみ、アーティストの関心を引きつけるのである。

我々はこれを脱領域化の法則と呼ぶ。アートは技術の賭金を転用することによって、その本分である技術に対する批判的役割を果たす。従ってコンピューターの革新がもたらした本質的影響は、むしろコンピューターを使わないアーティストたちの実践にこそ認められるのである。フラクタルやイメージ合成技術を用いて、いわゆる〈コンピューター・グラフィックス〉を制作する人びとは、たいていの場合イラストレーションの罠に陥ってしまう。彼らの仕事は、せいぜい時代の兆候や流行のガジェットでしかなく、それどころかコンピューターというメディウムからの象徴的疎外を表すものであり、さらに彼らが用いた生産手段から、彼ら自身が疎外されていることの表象でもあるのだ。こうして行動様式の次元においても再現表象は機能するのである。もはや生産条件の外観を描写するだけでは十分とは言えず、生産に関わる具体的な身振りについても考慮に入れた上で、それがもたらす社会関係を読み解かなければならないのだ。アリギエロ・ボエッティは、作品制作のためにペシャーワル（パキスタン）の織工五百人を雇用し、彼らと共同で制作することで、多国籍企業の労働過程をただ描いたり記述したりするよりも、より効果的に再現してみせた。こうしてアート／技術の関係は、操作的リアリズム［réalisme opératoire］の格好の主題となる。操作的リアリズムとは、鑑賞対象としての伝統的機能と、社会＝経済的領域への潜在的介入との間で揺動する芸術作品を定義し、今日の多くの実践の構造を説明する概念である[一]。こうした実践は、少なくともアートとテクノロジーとの間の根源的なパラドクスを明らかにするものであると言える。定義上、技術は改良されうるが、芸術作品はそうではない。技術的な条件を明らかにしようとするアーティストたちが出会うすべての困難は、ありふれた言い方だが、本質的に変わりやすい一般的な消費財と同じ生産条件のもとで、持続可能なものを作り出そうとすることに由来する。つまり近代性は〈一過性のものから永遠を引き出すこと〉に挑み続けてきたのだった。それに加えて、そして何よりも重要なのは、同時代の生産様式に照らして一貫性があり、かつ公正な制作方法を考案することなのである。

イデオロギー・モデルとしてのテクノロジー（痕跡からプログラムへ）

資本財［biens d'equipement］[二]としてのテクノロジーは、生産に関連する諸関係を表現するものである。写真はある意味でヨーロッパ社会の経済発展の一段階（植民地の拡大と労働過程の合理化によって特徴づけられる）に、すなわちその発明が必要とされる社会の発展段階に対応するものであった。人口管理（ＩＤカードや身体計測記録カードの導入）、海外の天然および人的資源の管理（写真民族誌）、産業施設の遠隔管理や開発対象地域の調査記録などの必要性によって、写真装置は産業化のプロセスにおいて極めて重要な役割を果たした。こうした現象に対し、アートは技術＝産業複合体によってもたらされる知覚や行動の習慣を、生の肯定（ニーチェ）のために転用する。言い換えれば、アートの役割は思考、生活、視覚の諸様式を〔新たに〕作り出すために、技術がふるう権力を反転させることにある。現代の文化を支配しているテクノロジーは言うまでもなくコンピューターであるが、その影響は主に二つに分けられる。一方はコンピューターそのものがもたらした我々自身の知覚や情報の取り扱い方の変化である。もう一方はミニテル〔フランスのネットワークサーヴィス。本来は電話番号検索端末であった〕やインターネット、そしてタッチ・スクリーンやヴィデオ・ゲームなど、交歓（コンヴィヴィアル）を促進するテクノロジーの急速な進化である。前者は、我々とイメージの関係に影響を及ぼすものであり、我々のメンタリティの変化に大きく関与している。コンピューター・グラフィックスの登場は、人間の身振りを必要としない演算によるイメージの生産を可能にした。我々に馴染みのあるあらゆるイメージは、手書きの署名からカメラの操作にいたるまで、身体的行為の結果として得られるものであった。しかし演算によって合成されたイメージには、もはや主体との類推的な関係はいっさい成立しない。なぜなら「写真は物理的な効果を記録したもの」であるのに対し、「デジタル・イメージは身体の動作によってではなく、演算によって得られるものなのだ[2]」。この場合、目に見えるイメージは何かの痕跡ではなく数字の羅列によって構成されているのであり、もはや人間存在の終端［terminal］ではない。イメージは「今後、自らを生成するようになる」（セルジュ・ダネー）。デジタル・イメージは——ジョー・ダンテ監督の『グレムリン』でモグワイが自己増殖するように——、純然たる視覚的混合によって自らを複製するのである。今日のイメージの特徴はまさにその生成力にある。それはもはや痕跡（遡及性）ではなくプログラム（進行性）なのである。コンテンポラリー・アートに最も効果的な着想を与えているのは、デジタル・イメージのこうした特性なのだ。すでに一九六〇年代の前衛芸術の多くは、自律した存在としてではなく、再生産のためのモデル（ブレクトとフィリュウが考案したゲーム）として、自らを創造すること（ボイス）として、行動を促すこと（フランツ・エアハルト・ヴァルター）として、すなわちさまざまな実行されるべきプログラムとしてみなすことができるものであった。インタラクティヴ・テクノロジーが急速に発展した一九九〇年代に入ると、アーティストたちは、社交性と相互作用的な関係をより深く追求するようになり、その理論的、実践的地平を人間関係の領域に定めたのだ。リクリット・ティラヴァーニャ、フィリップ・パレーノ、カールステン・ヘラー、ヘンリー・ボンド、ダグラス・ゴードン、ピエール・ユイグらの展覧会は、建築が居住者の生活を文字通り〈プロデュースする〉ように、人間関係の生産に適合する社会モデルとして構築されるのである。しかしそれは、ボイスが提唱したような意味での〈社会彫刻〉とはまったく異なる。ここで名前を挙げたアーティストたちが、近代の風呂水ごと捨て去られてしまった前衛（もう少し穏当な言い回しがあるにせよ、このことは強調されてしかるべきである）の理念を延命させようとしているのだとしても、いまだに急進主義者や普遍主義者たちのユートピアの実現を目指している〈かのように装う〉ほど、彼らはナイーヴでもシニカルでもない。彼らにとって主要な課題は、社会体に穿たれたマイクロ・ユートピア、すなわち間隙を創り出すことなのである。

　間隙は労働と余暇の関係を反転させ（一九九五年五月にケルンで開催されたパレーノの展覧会〈五月一日製造〉[Made on the 1st of May][四]）、他者とのつながりを取り戻させ（ダグラス・ゴードン）、交歓（コンヴィヴィアル）と分有の意味を教え（ティラヴァーニャのノマド食堂）、職業的な関係をたたえ（ヘンリー・ボンドのヴィデオ作品、《ホテル西洋》[Hôtel occidental]）、労働者に自分たちの労働のイメージとのつながりを取り戻させる（ユイグ）、さまざまなプログラムが作動する、関係的な経済＝世界なのだ。彼らの作品は模型ではなく、機能をモデル化したものなのである。言い換えれば、彼らの作品はスクリーンに合わせてその寸法（ディモンシオン）が変化するデジタル・イメージとまったく同様に、大きさの概念をもたないのだ。額縁とは異なり、スクリーンはあらかじめ決められたフォーマットに作品を閉じ込めることなく、未知の次元（ディモンシオン）で作品の潜在力を具現化するのである。今日のアーティストたちのプロジェクトは、彼らが間接的に影響を受けたテクノロジーと同様の両義性を抱えている。一方でそれは映画と同じように現実に寄り添っているように見えながら、現実であることを主張しない。他方、それはデジタル・イメージの制作と同じく、プログラムに基づいて構成されるが、デジタル・イメージのような応用可能性も、あらかじめ設計されたフォーマットから異なるフォーマットへの変換も保証されない。つまり、テクノロジーは、現実と想像の間に引かれた境界線においてのみ同時代のアートに影響を及ぼすのである。

　コンピューターとカメラは、生産能力の限界——それ自体、社会的生産の一般的条件に依存する——と可能な社会関係を具体的に定める。アーティストはこうした状況から出発し、生き方を創造し、社会的行動様式の生産に作用する諸力を明らかにし、我々の文明の未来に関する想像力を解放するのだ。

カメラと展覧会

展覧会＝舞台装置

一方ではコンピューターによって、他方ではヴィデオカメラによって実現された新しい視覚と思考が、今日のアートに根本的な変化をもたらしていることは誰の目にも明らかである。フィルム〔映像〕／プログラムと、コンテンポラリー・アートとの結びつきの強さをよりよく理解するために、展覧会のあり方の、つまり展示される事物と展覧会との関係の変化について再検討する必要がある。我々は、テクノロジーによってもたらされた、イデオロギーとアートとの関係を考察するにあたって、展覧会それ自体が基本単位になると仮定する。一九六〇年代に生じた展覧会形式の大きな変化を促したのは、主題としてではなく行動様式としての映画モデルである。例えばマルセル・ブロータースの実践は、展覧会＝デパート（個別の貴重品を集めて陳列する場）から展覧会＝舞台装置（ひとまとまりの事物への〈演出〉を施す場）への移行を証言するものである。一九七五年、ブロータースは、前年から展開している《温室》［Jardin d'hiver］シリーズの最終ヴァージョンである《緑の部屋》［Salle Verte］を、「現実的な機能を取り戻した鑑賞対象、言い換えればそれ自体としては芸術作品と見なされない〔が、それでも鑑賞の対象である〕舞台装置という概念の導入（バラ色の部屋と青の部屋も参照せよ）[3]」として提示した。この芸術的対象における機能性の〈回復〉――芸術作品に代表される〈物象化のトートロジー〉に抵抗するためにブロータースが行った転倒――は、一九九〇年代の芸術的実践、その世代のほぼすべてのアーティスト（ファブリス・イベールからマーク・ダイオン、フェリックス・ゴンザレス゠トレス、そしてジェイソン・ローズにいたるまで）の作品における、展示価値と使用価値の間の曖昧な関係を見事に予見するものだった。我々の時代の実践における決定的な展望を開くこととなった「オゾン」［Ozone］展（ドミニク・ゴンザレス゠フォルステル、ベルナール・ジョイステン、ピエール・ジョゼフ、フィリップ・パレーノらによって一九八八年に計画され、一九八九年にヌベールの現代芸術協会［ＡＰＡＣ］とコルシカの現代芸術地域基金［ＦＲＡＣ］にて開催された展覧会）もまた、〈撮影される空間〉［espace photogénique］として、あるいは映画モデルに基づいて構成された。展示空間はさながら仮想暗室のようであり、観客はその内部を、自分自身がカメラになって動き回り、フレームを定め、アングルを決め、展覧会を読み解くためにちりばめられた手がかりを収集するよう求められた。物象化の宿命を回避するために、展覧会の構成要素に機能性を取り戻させたブロータースの〈舞台装置〉〔としての展覧会〕を越え、「オゾン」展の構成要素のすべては常に操作することができるようになっており、最終的な作品の購入者が現れるまで、観客による編集を受け入れる。形式や状況を生成する〈プログラム〉として設計された（収集したものを入れておく〈袋〉、休憩用の椅子などの備品、展覧会の参考資料などが、観客のために用意されていた）「オゾン」展は、〈イコノグラフィの領域〉として、あるいは〈複数の層からなる情報の集合体〉（これはブロータースのモデルに近い）として機能しつつ、交歓（コンヴィヴィアリテ）と生産性を重視することによって、ブロータースの社会批判を新たな地平――特に他者との相互作用的な関係の生産に根差したアート――へ向かわせる。〈写真的空間〉としての展覧会という定義は、「我々のやり方」［How we gonna behave］展（ジョイステン、ジョゼフ、パレーノが参加し、マックス・ヘツラー・ギャラリー（ケルン）で一九九一年に開催された）でもひきつづき強調されることとなった。展覧会入り口で使い捨てカメラが配られ、観客はそれを使って写真を撮り、自分だけの展覧会カタログを作ることができたのである。

一九九〇年に私は、こうした動向を〈映画監督（レアリザトゥール）のアート〉と名付け、展覧会（エクスポジシオン）（写真の露出（エクスポジシオン）との言葉遊び）会場をカメラで撮影されない映画作品――〈静止した短編映画［court-métrage Immobile］〉――に変える試みとして定義しようとしたことがある。「作品は眼差しによってすべてを走査できる空間の全体性［として提供されるの］ではなく、あるシークエンスから別のシークエンスへと観客が自ら移動することによって進行する持続、つまり静止した短編映画なのだ[4]」。さまざまなジャンルのアートに転用可能な技術としての映画（あるいはコンピューター）の可能性は、十九世紀由来の思考様式を映画（あるいはコンピューター）に適用しようとする日和見主義者たちの主張とは異なり、映画の形式そのものとは無関係である。したがって多くのぼんやりとした〈アーティスト・フィルム〉より、アレン・ルッパーズバーグやカールステン・ヘラーの展覧会にこそ映画的な特性が存在するのであり、退行的で職人芸的な技巧によってつぎはぎされた合成イメージよりも、セルクル・ラモ・ナッシュの実践が依拠しているリゾーム構造やダグラス・ゴードンの活動にこそ、コンピューター・グラフィックスの思想の本質があると言っていい。映画は持続の扱い方を通じて、つまり映画が生み出す「運動イメージ（イマージュ・ムヴマン）」（ドゥルーズ）を通じてアートの形式に変化をもたらす。フィリップ・パレーノによれば、そのときアートは「事物、イメージ、そして展示が、瞬間の持続として、すなわち、再演可能なシナリオの構成要素として存在する空間[5]」となるのである。

エキストラたち

展覧会が舞台装置に変わったのだとしたら、そこで演じるのは誰だろうか。俳優やエキストラたちはどんな場面の中を、どのように横切るのだろうか。舞台を横切っていく人びとについての、そして彼らを受け入れる象徴的／実践的構造についての美術史が書かれるべきだろう。どのような人の流れが、どのような仕方で組織され、芸術形式として舞台に登場するのだろうか。最新の映像記録装置であるヴィデオは、この一連の過程にどのような影響を与えるのだろうか。スクリーン上に登場するのは、召集という古典的な形式によって、ある場面に出演するために呼び出された単独もしくは複数の俳優である。ウォーホルのファクトリーに集う人々もまた、彼の映画作品のために動員され、次から次へカメラの前に立たされたのだ。一般的に映画は、自らのイメージを労働力として提供する、プロレタリア階級の職業俳優たちによって成立している。ヴァルター・ベンヤミンは、「映画スタジオにおける撮影の特異なところは、観客のいるべき位置に、機械装置が置かれることだ[6]」と指摘した。そしてそれによって俳優たちの身体は希薄化されるのである。一方ヴィデオは、職業俳優と通りすがりの人びととの間の差異を消し去ろうとしている。映画の撮影機材からヴィデオ装置への移行は、印象派の画家たちを準備したチューブ入り絵の具の発明と同じような意味をもつ。軽量で扱いやすい道具として、ヴィデオは戸外での撮影を容易にし、フィルム素材ではありえないほど、撮影対象への気軽なアプローチが可能になった。その結果、ヴィデオ映像の多くは、世論調査の形式をとることとなった。大衆の中に無作為に潜入して撮影されるその映像は、テレビの時代を特徴付けるものである。カメラは通行人の目線から問いかけつつ、行き交う人びとを記録する。ヴィデオ・アートに登場するのはどこにでもいるような、人の姿をした生物（ユマノイド）である——ヘンリー・ボンドは社交の瞬間をサンプリングし、ピエール・ユイグはキャスティング・セッションを開催し、ミルトス・マネタスはカフェで議論の場をもつ。カメラは人びとに呼びかけるための道具になった。だからジリアン・ウェアリングはカメラを持ち、公園でたまたますれ違った人々に、コカ・コーラの瓶を使ってお気に入りの曲を演奏するよう依頼したのである——撮影された一連の映像は音楽による世論調査のアレゴリーとして編集された〔《世界が歌いだすように》[I'd like the world to sing]〕。さらにヴィデオは、十九世紀の写生と同じく、ヒューリスティック〔発見的あるいは探究的〕に用いられることもある——ショーン・ランダースは車の中から窓の外の風景を撮影した、アンジェラ・ブロックはロンドンから個展の開催地であるジェノヴァまでの旅を記録した、ティラヴァーニャはグアダラハラからマドリードへの空想の旅路を映像化した。シェリル・ドネガンのように、ヴィデオを絵画作品の制作過程の詳細を記録するために使う場合もある。他方ヴィデオの映像はあまりに扱いやすいため、存在を物象化し、その代用とするために利用されることもある。イタリアのアーティスト集団であるプレミアアータ・ディッタは、会議室のテーブルに、周囲の出来事にはまったく無関心で食事をする男性の映像が映し出されるモニターを置いた。それは最近あちらこちらで見かけるようになった、暖炉や水槽や〈ミラーボール〉の映像を延々と流し続ける映像ソフトの流行を彷彿とさせるものだ。ポストモダンの鳥たちにとって、ゼウクシス(五)のぶどうはまだ熟し切っていなかったのである。

ヴィデオ装置以後のアート

巻き戻し／再生／早送り

ヴィデオの扱いやすさは、イメージの加工や芸術形式の操作のプロセスにも影響をおよぼしている。今やヴィデオ装置の基本操作（巻き戻し、一時停止など）は、あらゆるアーティストの美学的選択の一部となった。ザッピングもまたその一例である――現代の展覧会は、セルジュ・ダネーが映画について語った言葉を借りれば、「バラバラの、次から次に切り替え可能な、短い番組の組み合わせ」へと変わろうとしているのであり、作品を見る順番も観客が自由に決めることができるようになった。しかしおそらく最も根源的な変化は、家庭用ヴィデオがもたらした新しい時間感覚に現れている。芸術作品はもはや過去の行動の痕跡ではなく、来たるべき出来事の予告（〈予告編効果〉）、あるいは潜在的な行動を提案するものであることが明らかになったのだ。[7]

いずれにせよ作品は、展覧会のたびに更新され再演される物質的持続なのである。作品は、それを生み出している身振りや形式の流れから切断されることのない静止画、すなわち凝結した一瞬の持続になる。極めて多くの作品が、このカテゴリーに含まれる。最近の事例としては、ピエール・ジョゼフの《よみがえるキャラクターたち》［Personnages vivants à réactiver］、フィリップ・パレーノの《記念日の木》［Arbre d'anniversaire］、ヴァネッサ・ビークロフトの活人画、ファブリス・イベールの《ホメオパシー絵画》などを挙げることが出来る。彼らの作品は再演可能な、固有の持続の単位である。それはヴィデオ映像——彼らの作品はヴィデオ作品の形式を取ることが多い——のようにさまざまな要素を取り込み、〔持続の〕リズムを変える（早送り）のである。今日ではあたりまえのように、作品、行為、パフォーマンスは、ヴィデオ・カセットに記録される。ヴィデオ・カセットは作品の濃縮物となり、それは異質な要素から構成される展覧会場で希釈されるのである。さらにヴィデオは、司法の場（ロドニー・キング事件[六]では、ロサンゼルス市警の警官による暴行の様子が〈アマチュア・カメラマン〉によって撮影されていた）や、カーレド・ケルカル事件[七]をめぐる論争において、証拠として機能する。アートにおいても、ヴィデオはある実践が具体的に存在していたことを証明する。それは散漫で断片的にすぎる実践を、直接把握可能な対象に変えるのである（私はビークロフト、ピーター・ランド、カールステン・ヘラー、ローター・ヘンペルらを念頭に置いている）。ヴィデオ映像を芸術的実践に活用するアーティストたちは突然現われたわけではない。コンセプチュアル・アートの美学は、すでに述定的〔constative〕で事実に基づく（ファクチュエル）、すなわち実証に根差した美学だったのだ。コンセプチュアル・アートは我々の暮らす「完全に管理された世界」（アドルノ）を、分析的で脱構築的なアプローチによって表現したが、近年の実践は同じ世界を、ヴィデオを用いて無遠慮にありのままに示しているのである。

視点の民主化？

ヴィデオ装置はイメージ生産の民主化の一翼を担っているが（それは写真が果たしていた役割を必然的に受けついだのだ）、一方でヴィデオカメラによる遠隔監視の普及を通じて、我々の日常生活に影響を及ぼしてもいる。それはホームヴィデオ上映会の対極にある、セキュリティ対策としてのヴィデオ装置の利用法である。ではホームヴィデオによる家族の撮影は監視と無関係だと言い切ることができるのだろうか。それもまた、自分自身を監視の視線に差し出し、その結果として生産される形式を絶えず二次利用し続け、さまざまな形式に変換して再分配する、レンズに取り憑かれた監視世界の一部なのではないか。ヴィデオ装置以後のアートは、ノマド的で流動的な形式を生み出し、過去の美的対象をアナロジーによって再構成することで、すでに歴史化された形式に新たな意味を充填するのである。それは映画に関するセルジュ・ダネーの予言を根拠付ける――「再制作〔二次創作〕できる映画（アート）だけが生き残るだろう」[8]。だからマイク・ケリーとポール・マッカーシーは、ヴィト・アコンチのパフォーマンスを、女性モデルを起用し、ソープ・オペラのセットを使って〈再演〉したのであり（《フレッシュ・アコンチ》、一九九五年）、ピエール・ユイグもまた、アルフレッド・ヒッチコックの『裏窓』の中のいくつかのシーンを、パリの団地を舞台にリメイクしたのだ。ヴィデオによって（ほとんど）誰にでも映画を撮れるようになるということは、（ほとんど）誰もが我々のイメージを取得できるということを意味する。街を歩けば我々は常に監視の目にさらされ、我々の文化的生産物は常に再解釈／再利用の素材として差し出される。それは視覚装置がありとあらゆる場所に存在し、他の生産手段よりも遥かに広く普及していることの証明である。ジュリア・シェールが〈監督した〉監視カメラを主題とするアート・プロジェクト、《ジュリアのセキュリティ》[Security by Julia]は、ヴィデオカメラの警察的、治安維持的な次元を探求した。ジュリア・シェールは、治安維持に関連するイコノグラフィー（鉄格子、駐車場、モニター）を駆使して、誰もが見ると同時に見られているということを、展覧会の形式で可視化したのである。デンマーク人アーティストのイェンス・ハーニングは、あるグループ展で空っぽの部屋に観客を閉じ込め、監視カメラでその様子を撮影するという作品を公開した。昆虫のように捉えられた観客は、カメラを通じてイメージに変換され、アーティストの観察対象（シュジェ）になるのだ。この種の介入によって提起されるあからさまな倫理的問題（アーティストと観客の関係は、ただちにサド＝マゾ的関係に変化する）以上に、ダン・グレアムの驚くべきインスタレーション作品《（複数の）過去を保持する現在》[Present continuous past(s)]——小さく区切られた部屋に入ってくる観客をヴィデオで撮影し、数秒遅れでモニターに映し出すインスタレーション作品——を経験した我々は、撮影される観客たちが、表象のイデオロギーに囚われた演劇の〈登場人物〉から、都市活動の抑圧的イデオロギーに従属する通行人の地位にまで、貶（おとしめ）られてしまっている現実を認めざるをえないだろう。今やヴィデオの被写体（シュジェ）に自由はほとんどないと言っていい。ヴィデオは、今まさにあらゆる権力機関が積極的に取り組んでいる、個人、性、民族に関する大がかりな視覚的調査に協力しているのだ。

アーティストがこの問題をいかに扱うのか、主体性の形式を解放する政治的な手段としてのアートの未来は、それによって決まる。どのような技術もアートの主題ではない。テクノロジーを、それを生産様式の文脈において考察すること、すなわちテクノロジーとその利用を強制する態度を支えている上部構造との関係を分析することによってこそ、近代が目指した世界との関係のモデルを作り上げることが可能になるのである。さもなければアートは、ますます不安定さを増す社会を彩るハイテクな装飾品の一つに成り下がってしまうだろう。

第六章　形式のポリティークへ

共存(コアビタシオン)――関係性の美学の拡張可能性についてのノート

視覚システム

かつて我々はイコン――神の存在をイメージとして物質化したもの――を仰ぎ見る定めにあった。

ルネサンス期における一点透視図法の発明は、抽象的な観客を具体的存在としての個人に変えた。絵画的装置によって与えられた固有の場所によって、個人は他者から切り離され、独立した存在となった。もちろんピエロ・デッラ・フランチェスカやウッチェッロのフレスコ画はさまざまな視点から見ることが可能である。にもかかわらず、遠近法は単一の視点を象徴化し、観客の立場に社会的象徴としての意味を与えたのだ。

モダン・アートはこの関係を見直し、複数の視点から同時に見られることを受け入れた。いや、我々はそうした認識は輸入されたものであることを認めなければならない。多視点描法は、すでにアフリカや東洋に別の形式で存在していたのではなかったか。

マーク・ロスコやジャクソン・ポロックは、観客を色彩に浸し、画面に同化させるために、作品に必ず視覚的〈包み込み〉の作用を組み込んでいた。抽象表現主義の絵画作品がもつ〈包み込み〉の効果と、イコン画家が追い求めた宗教的効果の間の類似性については、すでに繰り返し言及されている。どちらの場合においても、人間は絵画空間に丸ごと投げ込まれる抽象的存在とみなされているのである。エリック・トロンシーは、構築された場の環境によって観客を包み込む、この空間的効果を、平面作品にのみ用いられる〈オール・オーヴァー〉効果に対して、〈オール・ラウンド〉効果と呼んだ。

イメージは瞬間である

ある知覚表象は現実の任意の瞬間Mに他ならない。すべてのイメージはある瞬間なのだ――空間における任意の点が空間yの反映であるのと同時に時間xの記憶でもあるように。それは固まったまま動かない時間なのだろうか、それとも潜在的な可能性を含む時間なのか。未来も〈生の肯定〉も生み出さないイメージなど、死せるイメージ以外に存在するのだろうか。

アーティストが見せるもの

現実とは第三者と話し合うことができる何かのことであり、交渉の中で定義されるものである。現実から離れることが〈狂気〉なのだ。ある人が私の肩に乗るオレンジ色のウサギが見えるという。しかし私には見えない。すると互いの会話は広がらず、先細る。交渉を続けようと思うなら、私はウサギが見えるふりをしなければならない。想像力は、話し相手との間で、より多くのやり取りを引き出すために現実に加えられた補綴のようなものなのである。だからアートの目的は、我々の間の機械的なやりとりを減らすことにあるのだと言っていいだろう。アートは被知覚対象に関するア・プリオリな了解の解体を目指しているのである。

同様に作品の意味は、アーティストと観客の間の相互作用の産物なのであり、何らかの権威によって裏づけられるのではない。観客としてのわれわれは、ますます希薄で、あいまいで、はかなさを増していく対象である現在のアートから、意味を引き出すよう努めなければならなくなった。かつては絵画の作法が作品解釈の大枠を提供していたものだが、今や観客に与えられるのは意味の断片に留まる。もしも作品から何も感じないとすれば、それは作品への働きかけが不足しているということなのである。

個人の主体性(一)の限界

フェリックス・ガタリの魅力は、我々が従属させられている画一化装置としての〈マスメディアの工場〉に抵抗するために、主体化の機械を生産し、あらゆる状況を特異化しようとする彼の意志にある。

支配的なイデオロギーは、アーティストが孤独な存在でいることを望んでいる。その夢想するところによれば、アーティストは独立主義の世捨て人らしいのだ――「我々はつねに孤独の中で書く」、「世界から身を隠さなければならない」云々……。アーティストに関するこうした通俗的なイメージは、まったく関連性のないふたつの観念を混同した結果なのである。つまり、アーティストによる現行の共同体的規範の拒絶と、集団であることそれ自体の拒絶とを区別できていないのだ。あらゆる共同体主義による強制を拒絶しなければならないとするなら、それはまさしく新たに創出される関係のネットワークによって置き換えられるのである。

デイヴィッド・クーパーは、狂気は人の〈中に〉あるのではなく、彼が関与する関係の総体の中にあるのだという。人はただ一人で〈狂気〉に走ることはない、なぜなら、世界に中心があると仮定しない限り、一人で考えることは決してないのだから（ジョルジュ・バタイユ）。一人で書き、描き、創作するものなどいない。そのように振る舞うことを強いられているにすぎないのだ。

工学的相互主観性

九〇年代には集合知や〈ネットワーク〉の形式が芸術生産に援用されるようになった。インターネットの普及、現在のテクノミュージックシーンに見られる集合的実践、成長し続ける文化・余暇産業といった状況が、展覧会の関係的アプローチを生み出したのである。我々の時代のアーティストたちは対話者を探し求めている。彼らは抽象的な存在としての観客ではなく、より具体的な存在である対話者を制作プロセス自体に取り入れようとしている。作品の意味は、アーティストが提示する諸記号の動的な結合だけでなく、展示空間における観客たちの共同作業によっても生み出されるのである（マルクスの言葉通り、結局のところ現実とは我々の共同作業の一時的な帰結に他ならないのだ）。

効果のないアート？

それら関係的な芸術的実践は、繰り返し次のような批判に曝されてきた——その実践の場がギャラリーやアート・センターに限定されているのは、本来目指されている社会性の追求と矛盾しているのではないか、あるいはリレーショナル・アートは社会的対立や差別、疎外された社会空間におけるコミュニケーションの不可能性から目を背け、アートの領域の中だけで、現実離れしたエリート主義的な社会形式のモデルを生産しているだけではないか。しかし、ポップ・アートが視覚的疎外のコードを再生産していることを理由に、我々はその重要性を否定することができるだろうか。コンセプチュアル・アートは、言語と意味の透明な関係を汚したとして非難されるだろうか。ことはそれほど単純ではない。リレーショナル・アートに対して向けられる主な批判の声は、それが薄っぺらな社会批判を演じているに過ぎない、というものである。

こうした批判を加えるものたちは、リレーショナル・アートによる芸術的提案を評価する際、形式的側面を精査することを忘れてしまっている。その美術史における位置づけや、形式の政治的意味（私が〈共存の基準〉と呼ぶもの、すなわちアーティストによって構築もしくは表象される空間の生きられた経験への転位、象徴的なものの現実世界への投企）を考慮に入れなければならないのだ。ティラヴァーニャやカールステン・ヘラーの展覧会を偽りのユートピアのパントマイムと見なし、近頃の〈政治的参加〉の——言い方を変えればプロパガンダの——アートを支持する者たちのように、作品の美学的価値を完全に無視し、〈関係的〉作品の社会的、政治的内容に判断を下すのは馬鹿げている。

なぜならリレーショナル・アートは、〈ソーシャル・アート〉[二]や社会学に従属するものではないからだ。リレーショナル・アートは、社会的な疎外を表象せず、分業制を芸術形式に拡張しない時空間形式の構築を目的とするのである。展覧会は、蔓延する疎外の領域に穿たれた間隙なのだ。展覧会が疎外の形式を再生産する、あるいはその位相をずらしてみせる場合もある——フィリップ・パレーノの個展「五月一日製造」[Made on the 1st of May]（一九九五年）は、余暇活動としての、ぬいぐるみの分業生産ラインを中心に構成された。展覧会は現行の社会関係を単に否定するのではなく、それを変形させ、アートの制度とアーティストによってコード化された時空間に投影する。たとえば人はティラヴァーニャの展覧会にナイーヴな喜びを見出すことも、作品が提供する薄っぺらで作為的な交歓（コンヴィヴィアリテ）が繰り広げられる時空間に不満を抱くこともあるだろう。しかし私には、そうした受容は彼の実践によって作り上げられた対象を誤って解釈した結果であるように思える。ティラヴァーニャの目的は交歓の場を作り出すことそのものではなく、それが生産するもの——形式的構造、観客が利用可能な事物、観客たちの行動が生み出す、つかの間のイメージからなる複合的形式——なのである。いわば彼の作品は、使用価値と展示価値を交歓の場において融合する、造形的な企てなのだ。それは天使が住む世界を表象するのではなく、その世界の条件を生産するのである。

形式の政治的展開

我々の時代に欠けているのは政治的プロジェクトではない。今求められているのは、現代的な政治的プロジェクトを具現化し、物質化するための形式である。形式は意味に形と方向付けを与え、日常生活に反響させる。集会（ソヴィエト〔労働者代表会議〕、アゴラ〔古代ギリシャの人民集会〕）、座り込み、デモ行進、ストライキ、そしてそれらに伴う視覚表現（横断幕、アジビラ、ピケなど）、革命の文化はさまざまな社会的行動の型を創造し、普及させた。

我々の時代が用意しようとしている形式は、一時停止の領域を探求する——一九九五年十二月の、都市機能を麻痺させるほどの大規模ストライキ[三]のように、別の仕方で時間を組織する試み。一日中数日にわたり夜を徹して続けられる自由なパーティが、睡眠と覚醒の境界を曖昧にする。

観覧可能な展覧会とオープニングの後すぐに撤収される展覧会。おびただしい数のシステムを同時に麻痺させるコンピューター・ウイルス……。

現代は、フリーズした機械や一時停止のイメージの中に政治的効果を見出すのである。

我々が優先的に取り組むべき問題は、社会的形式として具現化されている。それは、職場から家庭にいたるまで、我々の私的領域を暗黙の契約関係に基づいて規定する、生活のすべての次元に浸透した供給者／顧客〔生産者／消費者〕の分離である。

フランスの社会は二重の問題に苦しめられているため、なおのこと大きくその影響を受けることになる——一方で国家機構は民主主義の機能不全の様相を呈しており、他方でグローバル経済によって実存のあらゆる側面の物象化を強要されているのだ。

一九六八年の五月革命が相対的に見て失敗に終わったことは、現在のフランスにおける自由の制度化の低水準ぶりからもうかがい知ることができる。

世界的な近代性の挫折は、人間関係の商品化、政治的選択肢の乏しさ、経済的価値に結びつかない仕事の軽視と、それに対して自由時間の価値付けがなされていないという事実に明らかに示されている。

イデオロギーは孤独な創作者を賞賛し、あらゆる共同体的活動を嘲笑う。イデオロギーはその働きに気づかれることなく、作者に〈オリジナリティ〉というＩＣタグを埋め込むように、効率よく彼らの社会的孤立を促進するのである。それは形式を持たない。偽りの多様性、それこそイデオロギーの究極の罠なのだ。衰弱する現実を覆い隠す記号ばかりが増殖する間に、我々の可能性は日々狭められているのである。

実験の復権

伝統、卓越した技術、歴史的慣習への配慮に基づく美的価値を復活させることが、有用であり有益であるなどと誰が信じるというのだろうか。偶然の存在しない領域があるとするなら、それはまさしく芸術的創造の領域である。[1] 民主主義の命脈を絶ちたいのなら、まず実験的な試みに圧力をかければいい。そうすれば人々は、挑戦への自由を自ら手放すようになるのだから。

関係性の美学と状況の構築

シチュアシオニストの主要なコンセプトの一つである〈状況の構築〉は、芸術的表象を、日常的環境において、芸術的エネルギーの実験的具現化に置き換える試みであった。スペクタクルの生産過程に関するギー・ドゥボールの診断と我々の立場がまったく相容れないように思われるのは、シチュアシオニストの依拠する理論が次のような事実を考慮にいれていないからだ——スペクタクルが何よりもまず人間関係（「イメージによって媒介された諸個人の社会関係」[四]）に打撃を加えるのだとすると、スペクタクルに対する考察と抵抗は、新しい社会関係の生産を通じてのみ可能である。

実際のところ状況という概念は、必ずしも他者（ソンブラブル）との共存を含意しない。〈状況の構築〉を私的に利用し、意図的に他者を排除することも可能なのだ。〈状況〉は、時間と場所と行為の統一体を、観客の存在を必要としない劇場へ追いやるのである。一方で芸術的実践は常に他者との関係を含むものであるのと同時に、世界との関係を作り上げるものでもある。状況の構築は、交換形態から練り上げられる関係的な世界に、必ずしも対応するものではないのだ。ドゥボールがスペクタクルの時間を、労働の〈交換可能な時間〉（「等価な時間的単位を無限に蓄積したもの」[五]）と、余暇の〈消費可能な時間〉の二つに分け、その二つが生み出すサイクルが自然の再生産を摸倣しつつ、スペクタクルを「より強度に」[六]していくのだ、と指摘したことは偶然ではない。ここで〈交換可能な時間〉は、単に否定的なものとしてとらえられている。しかし交換それ自体は否定的なものではない。それは生命と社会を構成する必要不可欠な要素である。こうした誤解は、ドゥボールが個人間の社会的交換のすべてを、資本主義的交換の諸形態と同一視してしまったために生じている。これらの交換形態は、資本の蓄積（雇用主）と利用可能な労働力（賃金労働者）との間の契約に基づく〈出会い〉から始まる。それは交換の絶対的形式を代表するものなどではなく、歴史的に規定される生産様式の一つ（資本主義）に過ぎない。だから厳密に区別するならば、労働の時間は〈交換可能な時間〉というより、賃金およびそれに類するものによって購買可能な時間と言うべきなのである。〈関係的な世界〉――社会的間隙――を作り出す作品はシチュアシオニスムを更新し、アートの世界との間に可能なかぎりの和解をもたらすのだ。

美的パラダイム（フェリックス・ガタリとアート）

早すぎる死によって中断を余儀なくされたフェリックス・ガタリの仕事〔ガタリは『カオスモーズ』刊行後の一九九二年八月二十九日に急逝した〕には、明確に美に関する問題を考察した著作群は含まれていない。彼にとってアートは、思考のカテゴリーの一つというよりも、むしろ生きる素材であった。そして、この区別は彼の哲学的プロジェクトの本質に関わる――ガタリによれば、ジャンルやカテゴリー以上に「大切なのは、作品が言表行為の突然変異的な生産に実効的な貢献を果たすのかどうか見極めること[七]」なのであり、そしてさまざまなタイプの言表をカテゴリー化しないことである。生産様式のアレンジメント（アジャンスマン）[八]の一方の極に精神［psyche］が、もう一方の極に社会体［socius］が構築される。アートはこの両極の間で特権的な位置を占めているように見えるが、実際にはアートもひとつのアレンジメントに過ぎない。ガタリが駆使する概念は、両義的で柔軟性に富んでおり、多種多様なシステムへと翻訳することができるのであり、絶えざるコード変換に身を委ねることによって初めて現実的な一貫性を獲得する、潜在的な美学の輪郭を定めるのだ。このラ・ボルド病院の臨床医[九]は、彼自身の思想の展開においてつねに〈美的パラダイム〉の優位性を認めていながらも、バルテュス論講義のための原稿や、主著において、より一般的なテーマの一部に挿入された文章を除き、アートに関してごくわずかな記述しか残さなかった。

にもかかわらず美的パラダイムは、ガタリのエクリチュールそれ自体においてすでに作動している。ガタリの――こう言って差し支えなければ――スタイル、あるいは筆記的流れは[一〇]、さまざまなイメージに覆われており、思考過程は固有の手触りを有する物理現象――漂流する〈石板〉、接合する〈平面〉、さまざまな〈機械〉[一一]――として記述された。ガタリの穏やかな唯物論において、諸概念はその効力を発揮するために、具体的現実の装飾を身に纏い、イメージを領土化する

（一二）必要があったのだ。ガタリのエクリチュールは、彫刻的と言っても過言でないほどの明確な造形的配慮によって入念に仕上げられるが、構文上の明晰さへの配慮はほとんど見られない。時にガタリの言葉は晦渋に過ぎるように思われるかもしれない。それは彼が、躊躇なく新しい語彙（〈民族主義的なもの〉[nationalitaire]）、〈リトルネロ化〉[ritournelliser] など）や、かばん語を発明し、ペン先から流れ出るまま英語やドイツ語を混在させ、読者を気遣うことなくさまざまな命題を繋ぎ合わせ、一般的な単語のマイナーな意味と戯れるからである。彼の話法は、相棒のジル・ドゥルーズの著作に見られる概念的秩序とは対照的に、全体として口語的、カオス的、〈錯乱的〉で、そこには誤解を誘うような短絡が、ごく自然にちりばめられているのだ。

ガタリは依然として不当に過小評価され、ドゥルーズの引き立て役として扱われることも多いが、今日では『アンチ・オイディプス』（一九七二）から『哲学とは何か』（一九九一）までの、彼らの共著における固有の貢献が認められるようになってきた……。〈リトルネロ〉概念の導入から主体化の諸様態について鮮やかに論じた一節にいたるまで、二人の共著におけるガタリの痕跡は際立っており、現代哲学史においてその反響は次第に高まってきている。フェリックス・ガタリの思想は、その極端な特異性と、〈主体性の生産〉、およびその特権的な媒介物である作品への関心を通じて、アートの現場に配置されている生産機械と直結するのである。美に関する思想の欠乏状態にある現在、コンテンポラリー・アートにガタリの思想を接ぎ木しようとする試みは、それがいかに恣意的な操作だとしても、ますます有効性を増しつつあり、豊かな可能性をはらむ〈多声的な織物〉を生み出すように思われるのだ。ここからはガタリと、彼から託された道具箱と共に、アートについての思索を進めよう。

導かれ、作られる主体性

主体性を脱定住化する（デナチュラリゼ）

主体性の概念は確かにガタリの探究の主脈となるものである。彼は自らの生涯を主体性の入り組んだメカニズムとネットワークの解体と再構築に、そしてその構成要素と出口の探求に捧げ、さらに彼は主体性を社会機構の要石とまで見なしていた。精神分析とアート――相互に接続しあう主体性の二つの生産手段、二つの運用制度、〈文化への不満〉の解決策において再結合される二つの特権的システム・ツール……。ガタリが主体性に中心的な役割を与えたことは、アートとその価値に関する彼の構想のすべてを規定している。生産されるものとしての主体性は、ガタリの概念装置の中軸をなす。認識と行為の諸様式はその周りに自由にぶら下がり、**社会体**の法則を追求するのだ。**生産されるもの**としての主体性という概念は、付随的に、芸術活動について記述するための語彙の領域を定める――そこには、芸術に関する言説にしばしば見られるようなフェティシズムは、跡形も残されていない。そこでアートは、生産活動全体から切り離されたカテゴリーとしてではなく、**非言語的記号化**の過程として定義される。フェティシズムを捨て去り、思考様式としての、そして「生の肯定の創出」（ニーチェ）としてのアートを確立すること。主体性の究極の目的は、勝ち取られるべき個体化にほかならない。芸術的実践は、この個体化のための特権的な領土を形成し、人間存在一般に対して、可能な個体化のモデルを供給するのである。この意味で、ガタリの思想は、主体性を脱定住化（デナチュラリザシオン）し、それを生産の場に展開させ、一般的な経済的交換の枠組みの中に位置付けるという一連の流れを理論化する、壮大な企てとして定義することができるだろう。主体性ほど自然状態から遠いものはない。それは作られ、加工され、入念に仕上げられるのだ。「新たな主体化の諸様態を創出することは、アーティストが手持ちのパレットから新しいかたちを生み出す行為となんら違わない[2]」。重要なのは、イデオロギーやカテゴリー化された思考の温床である公的な**生産設備**［équipements collectifs］[一三]の核心部分において、新しいアレンジメントを作り上げる我々の能力、芸術的実践と多くの共通点を見せる我々の創造力である。美学へのガタリの貢献は、主体性を脱定住化・脱領土化し、神聖にして不可侵の主体という保護された領域から引きずり出し、機械状アレンジメントや、形成過程にある実存的領域が増殖する不穏な岸辺に接岸させる、彼の労苦において明らかに示されている。主体性は不穏である。人文科学を厳密な篩(ふる)いにかけた現象学的手法に反し、人間でないものが〔主体性の〕不可欠な部分を構成するのだから。主体性は増殖する。その時にこそ、資本主義のシステム全体が、主体性の観点から解読できるようになるのだから。主体性が支配的である場所では、それはますますシステムの網に強制的に絡め取られるようになり、資本主義の目先の利益のために囚われの身となるのである。「社会にかかわるさまざまな機械が公共設備という名の大項目に分類されうるのと同様、情報通信技術を結集した機械もまた人間的主体性の核心部分に作用(3)」するのだから。したがって我々は、主体性を「獲得し、強化し、再発明する」ことを学ばなければならない。さもなければ主体性は柔軟さを失い、もっぱら権力に奉仕する設備の集合に作り変えられてしまうだろう。

主体性の位置付けとその機能

人間の主体性の事実上の定住化に対するこうした告発は、極めて大きな意味をもつ。主体性は、現象学によって、乗り越えがたい究極の実在を象徴するものとしての烙印を押され、一方で構造主義によって、ある時は迷信、またある時は単なるイデオロギーの効果と見なされた。ガタリは、現象学の教典に基づく主体の神格化と、構造主義が主体をシニフィアンの遊戯の結節点に置くことによってもたらす主体の石化の双方を拒絶し、主体の複雑かつ力動的な解釈を提案する。ガタリの方法は、ジャック・ラカン、ルイ・アルチュセール、クロード・レヴィ＝ストロースらが凝固させた構造を、沸騰させるものであると言えるだろう――構造分析の不動の秩序や、フェルナン・ブローデルが説く歴史の〈長期持続的な変動〉を、熱の効果で物質を再編成することによって与えられる、前代未聞の、力動的な、波動性のつながりに置き換えること。ガタリの語る主体性は、構造主義が説いたような、日常の制度に覆い隠された安定的秩序を追い求めるのではなく、カオス的秩序によって規定されるのだ――「ポストモダン社会に顕著な自棄の態度に陥らないようにするためには、明らかに無視しがたい面をもつ構造主義の発見と、その実際的な管理運用とのあいだである程度の均衡を図ることが今後の課題となる(4)」。

この均衡は、社会体の構造をより効果的に抽出するために人為的に〈冷却〉するのではなく、社会体の実温度、つまり人間関係の発する熱において、それを観察する時にのみもたらされる……。このカオス的な緊急事態はいくつかの作用を引き起こす。そのうち最も重要なのは、主体性を主体から遊離させること、つまり前者を後者に本来的に備わる属性として結びつけているつながりを解くことである。したがって、主体性の地図は個人の境界を大きく踏み越えて描かれなければならない。主体の領土を、社会的行動を規制する非人間的な諸機械にまで拡張することによって、ガタリは、伝統的なイデオロギーを乗り越え、その〈再特異化〉を要請する。そして特異化されたアレンジメントは、主体性の〈集合的アレンジメント〉の制御を通じてのみ作り出すことが出来る。経済的疎外の考察をもって、マルクスが労働の世界の核心における人間の解放に取り組むことができたのと同じく、真の個体化は精神生態の循環装置を開発することによってこそ可能になるのだ。ガタリは、主体性がいかに疎外され、精神の上部構造に依存しているかについて我々に注意を促し、そして主体性の解放の可能性を示したのである。

ガタリの思想のマルクス主義的背景は、主体性を定義する彼の言葉の中にさえ読み取ることができる――「個人的および／あるいは集合的な諸審級が自己参照的な実存の領土として現れ、それ自体も主体的な他者性と隣接あるいは境界画定の関係に入ることを可能にする条件の総体[5]」。すなわち、主体性を規定するのは第二の主体性の存在なのだ。主体性は異なる領土との出会いを通じてのみ、自らの〈領土〉を構成することができる――主体性の発生的形成、主体性は差異に基づいて、すなわち他性の原理によって自らを構成するのである。この複数的で多声的な主体性の定義から浮上する揺動性の視野のもとで、ガタリは哲学の運用＝体系に試練を与える。ガタリによれば、主体性は自律的に存在するのではなく、いかなる場合においても主体の実存の基礎となることはない。主体性は組み合わせられた仕方でのみ存在する――「人間集団、社会＝経済的機械、情報機械(6)」の連合。そこには閃光のごとき決定的直観がある。マルクスは『フォイエルバッハに関するテーゼ』において、人間存在の本質を〈社会関係の総和〉と定義し、観念論に強烈な一撃を加えたが、一方でガタリは主体性を、個人と主体化を媒介するもの――それが個別的か集合的か、もしくは人間か非人間かにかかわらず――との間に作り上げられる関係の総体と定義した。それは決定的な突破口である。主体のなかに探し求められた主体性は、核心を外れ、〈非シニフィアン的な記号の体制〉に捕らわれた状態で見出されることとなった……。その点で、ガタリはなお構造主義的な参照の宇宙に従属している。レヴィ＝ストロースの森とまったく同様に、シニフィアンが、ガタリの〈機械状無意識〉を支配する(7)――大規模に行われる〈集合的主体性の生産〉は、個人が、自らのアイデンティティとして〈最小限の領土〉を自己構築するのに役立つ。ところで、どのようなシニフィアンの流れが、主体性の生産に関与するのだろうか。まず文化環境（「家庭、教育現場、環境、宗教、アート、スポーツ」(一四)）が、次に文化消費（「マスメディアや映画産業が作り出した要素群」[一五]が、そしてイデオロギー装置、主体機械から離脱したさまざまなパーツが続く……。最後に、現代的な主体性の非記号学的、非言語学的領域を形成し、「意味作用を生産すると同時に、意味生産から独立して機能する」[一六]情報機械の集合が現れる。特異化／個体化の過程とは、「身体や幻想、過ぎゆく時間、生と死の〈神秘〉などに対する」[8]新しい関係を創出し、思考と行動の画一化に抵抗するための道具として、シニフィアンを個人の〈実存の領土〉と一体化させることである。この意味で、社会的生産は〈精神的エコゾフィー〉の篩（ふる）いにかけられなければならない[一七]。個人の主体性は、これら諸機械の生産物を加工して作り上げられるのだ。主体性は、不和の、逸脱の、距離を取る操作の成果であり、環境問題を生産関係の総体から切り離して議論することができないのとちょうど同じように、その生産の過程を社会関係の総体から切り離すことは出来ないのである。統合的なエコロジーに属する相互依存のネットワークとしての実存という定義は、芸術的事物に対するガタリのとらえ方を明確にしている——それは包括的なシステムに連接する感受性のプレートのうちの一つに他ならない。ガタリはまたエコロジーの思想を通じ、依然として近代芸術理論に影響を及ぼしていたロマン主義モデルの失効に、大半の美学の〈専門家〉たちに先んじて気づくこととなった。ガタリの主体性の概念は、美学に操作的パラダイムを導入するものであり、その正当性は、ここ三十年間のアーティストたちの実践によって証明されているのである。

主体化の単位

カントは風景や自然の諸形態の全体を美的対象として認めたが、周知のように、ヘーゲルはその範囲を精神の働きによって形成される特定の種類の事物に限定した。そしてロマン主義美学は、芸術作品を人間主体の生産物、主体の心的宇宙を表現するものとして定立した。我々はいまだにそこから抜け出せてはいないようだ。(9) 二十世紀を通じて数多くの芸術理論が、このロマン主義的創造概念に異議申し立てを行ってきたが、どれもその基盤を完全に覆すものではなかった。マルセル・デュシャンの作品を例に挙げてみよう。彼の〈レディ・メイド〉は、作品の創造過程への作者の介入を、大量生産品から任意の一つを選択すること、そしてそれを個人的な言語体系に位置づけることに還元する――つまりアーティストの役割を現実に対する責任〔＝応答〕の観点から再定義するものである。あるいはまたロジェ・カイヨワの一般美学〔esthétique généralisée〕(一八)では、偶発により、自生により、鋳型により生み出された形態と、設計に基づいて作られた形態とが同等に扱われている。(10) ロマン主義的な天才概念を退け、アーティストを秘められた神的霊感に頼る純粋な〈創造者〉ではなく、意味のオペレーターとして想定している点で、ガタリの主張は構造主義者たちと同じ方向へ向かっているが、〈作者の死〉へ向けられた彼らの賛歌に応じるものではない。ガタリにとってそれは疑似問題にすぎない。主体性の生産過程は、集合的な視点から再定義されなければならないのだ。個人は主体性の占有権を持たない。だから大文字の作者というモデルやその仮定上の消滅は重要ではないのである。「主体性の生産のための装置は巨大都市の規模でも一個人の言語ゲームの規模でも存在しうる」。[11] アーティストの役割モデルとその商業的効果の体制を構造的に強化する、個人と社会との間のロマン主義的対立は、いまや完全に失効した。作者の役割をオペレーターとしての立場にまで切り詰める、創造的操作という〈横断性の〉概念だけが、現在進行中の〈変化〉を説明できる——デュシャン、ラウシェンバーグ、ボイス、ウォーホルらは、社会的動向に伴って変化する交換様式に基づいて作品を制作したのであり、彼らの作品は、ロマン主義のイデオロギーによってアーティストにあてがわれた、精神の〈象牙の塔〉という神話を解体するのである。二十世紀の全体を通して、芸術作品が労働の領域の核心に侵入しつつ、同時に脱物質化していったことは偶然ではない。主体性の交換メカニズムを芸術の経済（作品を商品に変え、流通させることに特化した形式）に封じ込めてしまう〔作者の〕署名は、主体の〈多声性〉を寸断したうえで滅菌し物象化するものであり、主体性の生(なま)の形式がもつ複数の声を失わせてしまうのである。ガタリは『カオスモーズ』の中で、多くの原始社会にお

いて一個人に複数の固有名を与えていた慣行を思い出すよう促し、その喪失を悼んでいる。[一九]

それでも主体の多声性は別の層で、すなわち異質な諸領域の連結——精神分析療法において「実存的身体を再構成し、［……］再特異化する可能性をもたらす」、「個人、集団、機械、そして多数多様な交流[12]のブロック——からなる複合的な主体化の層で再構成される。だから主体性はいかなる同質性にも依拠していないという事実を認めるだけで十分なのだ。それどころか主体性は、統合された精神生活という幻想の切断、分割、解体を通じて展開するのである。「主体性には、みずから決定要因となり、一意的な因果性に沿って他の全審級をあやつるような支配的審級はいっさい含まれない[13]」。この事実を芸術的実践に適用すると、スタイルという観念が無効であることがはっきりする。署名によって権威付けされることで、一般的にアーティストは、ただ一つの原理——スタイル——にしたがって技巧と精神のオーケストラを統率する指揮者として扱われる。西洋近代のアーティストは、その署名が〈意識の状態を統合するもの[二〇]〉として通用するような主体として定義されるのであり、自らの主体性とスタイルとを意図的に混同させるのである。それでもなお我々は、創造者としての個人的な主体に、つまり作者とその支配に言及することができるだろうか。「ひとつひとつが大なり小なり、それ自身のために作動する[14]」〈主体化の構成要素〉が統一されて見えるのは、ただ皆が共有する幻想——それを守っているのが商品価値を保証する署名とスタイルである――の効果に過ぎないのだ。

ガタリにとって主体とは、異質な主体化の諸領域から派生する、独立したプレート群のさまざまな組み合わせによって作り上げられるものである。一方でガタリが言うところの〈統合された世界的資本主義〉（CMI）[二二]は、〈実存的領土〉――その生産がアートの使命である――には何ら関心を持たない。行動の同質化と物象化の要因である署名に、特権的な価値を与えることによって、CMIは実存的領土を経済的利益に変化させるという任務を遂行し続けるのである。言い換えれば、アートが我々の〈生の肯定〉を提示するところで、CMIは我々に請求書を突きつけるのだ。ドゥルーズ＝ガタリが記述したように、真のスタイルが存在するとしたら、それは物象化された〈行為〉の繰り返しではなく〈思考の運動〉であろう。ガタリは主体性の様態の同質化や画一化に抵抗すべく、存在を〈異質発生のプロセス〉に巻き込むことの必要性を説いた。複数の特異性の宇宙や希少な生き方を連結し、社会的存在へ移行する前に自己自身において差異を培養すること、これこそ精神のエコゾフィーの第一原理なのである。あらゆるガタリの立論は、あらかじめ社会関係を内的にモデル化している。主体性のエコロジーが根本的に変わらなければ、そして主体性が相互依存性に基礎付けられていることを自覚しなければ、主体の再特異化など不可能なのである。この点でガタリの思想は、メンタリティと社会構造を一度に変革しようとした、今世紀の前衛運動の多くに連なるものである。ダダイスト、シュルレアリスト、シチュアシオニストたちは、上部構造（イデオロギー）が根本的に再モデル化されない限り下部構造（生産装置）の変化も望めないと考え、全体革命を推進しようとした。さまざまな人間的要求のまとまりである〈美的パラダイム〉の庇護のもと、ガタリが支持した、〈三つのエコロジー〉（環境の、社会の、そして精神のエコロジー）は、モダン・アートが希求したユートピアの延長線上に位置付けられるのである。

美的パラダイム

科学主義パラダイム批判

ガタリの〈分裂分析〉の宇宙において、美は特別な地位を与えられている。美はさまざまな知の平面上で〈パラダイム〉——複数の層で機能する順応性に富んだアレンジメント——として作用する。美は何よりもまず〈エコゾフィー〉の台座であり、主体性の生産のモデルであり、精神医療＝精神分析の実践を受胎させるための触媒の役割を担うものなのである。ガタリは、分析の実践を定式として硬直化させる、〈超自我としての科学主義〉のヘゲモニーに対する抵抗を、美に託した。ガタリが〈精神分析の関係者たち〉を非難するのは、彼らがフロイトやラカンの諸概念を、それ以上はないほどの確信をもって操り、過去へ向かうからである。無意識それ自体が「一個の制度……公的な生産設備[一二]」なのだ……。方法の永続的革新とは何か。「絵画や文学の創造と同じことで、ひとつひとつの具体的な作業行為が進化と革新と新しい展望を切りひらくという使命をもっているのである。ただしそのさい、作者は何らかのグループや流派、コンセルヴァトワールとかアカデミーなどの権威や確固たる理論的基盤といったようなものを利用することはできない[15]……」。重要なのは〈ワーク・イン・プログレス〉ということである。それは修辞学的な方法論ではなく、アートの領域に属する思想なのだ……。ドゥルーズ＝ガタリが、「いくつかの概念を形成したり、考案したり、製作したりする技術（アール）[16]」として哲学を定義したことは驚くにあたらない。より一般的に言えば、ガタリは科学と技術の総体を〈美的パラダイム〉に基づいて再モデル化しようとしているのである。ガタリは言う、「私が視野に入れているのは、人間諸科学と社会科学が、科学主義のパラダイムを捨て、倫理的－美的パラダイムに移るよう働きかけることである[一三]」。ある種の科学的懐疑主義への接近。彼にとって理論や概念は〈さまざまな主体化のモデル〉のうちの一つに過ぎないのであり、最終的な確実性を保証するものではない。ポパーが述べたように、科学的仮説の第一条件はその反証可能性ではなかったか。あらゆる言説の領域を汚染し、創造的不確定性と熱狂的創発性の毒をすべての知的領域に撒き散らすため、ガタリは美的パラダイムを必要としたのだ。いわゆる科学的〈中立性〉の否定――「したがって今日の課題は、「未来主義的」で「構築的」な潜在性の領域を解放することである」[17]。アーティストとしての精神分析家の肖像――「アーティストが先人や同時代人から自分にとって好都合な着想を借り受けるのと同じように、私の著作を読む者は好きなように私の概念を取り入れたり、拒絶したりしてくれればいい」[18]。

リトルネロ、徴候、作品

ガタリの美学はその大部分をニーチェの美学に依拠しており、同様に創作者の視点からのみ考察されている。〈リトルネロ〉[二四]概念について論じているページを除けば、彼の著作の中に、受容美学に対するいかなる配慮の痕跡も見出すことはできない。そこで彼はテレビの視聴行為を例として取り上げている[二五]。テレビのスイッチを入れることによって、視聴者の〈人格的同一性の感覚〉は一時的な分裂状態に追いやられ、テレビを見る人は、次のような複数の主体感が交差する地点に身を置くことになる。電子的イメージの走査線によって引き起こされる〈知覚の幻惑〉。居室の中で不意に〔断片化された形で〕到来する、たとえば電話の着信音などの〈寄生的〉知覚によって強化され、物語内容の効果によって用意される恍惚（〈取り込み〉）状態。最後に、〈感覚と意味作用を担うカオス〉のただなかで〈牽引装置〉のように機能する〈実存のモチーフ〉＝番組から浮上する〈幻想の世界〉。

ここでは、〈実存的テリトリー〉を構成する前段階として、複数の主体性が〈リトルネロ化〉され、見ている対象に〈引っかかった〉状態になっている。ここでもまた、形式の鑑賞＝観想が問題となるが、しかしここでのそれは、おなじみの〈意思の宙吊り〉（ショーペンハウエル）状態を指しているのではなく、行為の〈動機(モチーフ)〉に向けられる精神エネルギーの凝集と集積としての熱力学的プロセスなのだ。アートはエネルギーを捉え、〈リトルネロ化〉し、日常へと転用する――反響、そして連鎖反応……。ガタリにとってアートは、純粋な《意志と物質との衝突》[19]として、世界のカオスのただなかでテキストを書き記す、徹頭徹尾ニーチェ的な行為に例えられうる――言い換えればそれは〈解釈し、見極めること〉なのだ……。広い意味で美的鑑賞の対象として提供される〈実存のモチーフ〉は、さまざまな主体性の構成要素を取り込み、そして主体化へ導く――芸術作品をめがけ、ちょうど複数のスポットライトが焦点を合わせて一本のビームになり、そして一点を照らし出すように、主体性の再構成が引き起こされるのである。アートが最良の具体例を提供しているこうした主体の凝集作用の対極には、流動性の〈リトルネロ〉が硬化し、強迫観念へと変化することによって発症する神経症がある——しかし精神病もまた、主体性の〈部分的構成要素〉を「妄想や幻覚の線[20]」上に放置することで、自我の内部崩壊を引き起こす場合もある。こうした現象は、対象それ自体が神経症的であることを我々に示唆するものである。柔らかな部分対象の上で弾みながら、継起的な結晶作用を展開させる〈リトルネロ化〉の流動性とは対照的に、神経症は触れるものすべてを〈固化する〉のである。実存の領土を商業化し、主体のエネルギーの流れを収益に変える統合された資本主義は、神経症的に機能する。それは、砂漠化した直接交換の領域に残された空き地に殺到し、〈主体性に巨大な空虚〉を、すなわち「機械性の孤独[21]」を発生させるのだ。この空虚は、人間でないもの、機械、との新たな契約を結ぶことによってしか埋めることはできない。

ガタリの思想は、臨床治療によって見通しが開かれた、分析的視野の周囲に組織される。部分治療という手法は、砕け散った主体化の絵（タブロー）を描き直すために見出されたのである。アートと徴候は重なり合うものではないが、その距離は遠くない。リトルネロが「硬直した表象に具現化され、たとえば強迫的な儀式となってあらわれる[二六]」とき、徴候は「それ自身を反復させることによって生み出される実存的リトルネロとして機能するようになる[二七]」。しかし、患者が自律性を獲得する過程と芸術的創作との間の類似を強調しすぎたときには、ガタリは「精神病を芸術作品と、そして精神分析家をアーティストと同一視すること[二八]」に慎重な態度を取る……。といっても、彼は両者とも同じく主体化の素材を扱っていることには同意している。資本主義の体制によって個人に加えられる同質化という名の暴力、それがもたらす悲惨な結果を〈治癒する〉ためには、主体化の素材が現れなければならない。同質化とは、個人の主体性の基礎をなす相違を抑圧することなのだ。いずれにせよ、アートと精神生活は同じアレンジメントの中で、折り重なるように共存している。ガタリは、心的メカニズムをより物質的に表現するために、アートについて非物質的な表現を用いて記述しているに過ぎない。芸術的行為と同様に、分析においても、「時間はただ与えられるものであることをやめる。それはこちらから能動的に動かし、方向付けることができる、質的変化の対象[二九]」なのだ。分析家の役割が「主体化を生じさせる変異性の焦点を創造すること[三〇]」にあるのなら、アーティストに対しても同じ公式を容易に当てはめることができるだろう。

部分対象としての芸術作品

〈再現するだけの消極的なイメージ[三一]〉や、商品としての芸術作品は、ガタリの関心の対象ではない。作品は実存の領土を物質化する。そしてイメージは実存の領土の核心において主体化の媒体の役割を、あるいは我々の知覚が別の諸対象に〈再接続する〉のに先んじて、あらかじめそれを脱領土化する〈シフター〉の役割を担う。作品は「主体性を分岐させるオペレーター[三二]」なのだ。ここでもまた芸術作品は、たとえそれが美的経験に固有の〈パトスに彩られた認識[三三]〉、すなわち〈持続をめぐる非言説的な経験[三四]〉を提供する模範的な存在であるとしても、いかなる特権も主張することは出来ない……。こうした認識は、鑑賞の悦びを提供するものとしての芸術作品を否定することによって、初めて可能になる。ガタリは、ニーチェの生の哲学（「我々を自己超克へと駆り立てるのは美への問いである」）を、自ら好んで用いる心的＝エコロジー的な語彙に転調させつつ、このドイツ人哲学者の周辺を巡り歩く。そうすることでガタリは、美的鑑賞行為に〈主体化の転移[三五]〉の過程を見出すことになったのだ。ミハイル・バフチンから借り受けたこの〈主体化の転移〉という概念は、〈表現の素材〉が〈形相的創造力[22]〉へと生成する契機を、すなわち、作者と観客との間に生じる移行の瞬間について証言するものである。

ここでガタリが主張していることは、一九五四年〔一九五七年〕にデュシャンがアメリカ芸術家連盟総会で行った有名な講演――「創造過程[23]」――の内容に極めて近い。その中で観客は「（アーティストが）実現すべく計画したものと、実際に実現されたものとの間の差異[三六]」を意味する〈芸術係数〉を通じて創造の秘儀に介入する、作品の共同制作者として位置づけられる。デュシヤンはこの現象を、まるで精神分析家のように記述した――それはまさしく「アーティストがいささかも自覚しない」[三七]うちに生じる〈転移〉であり、作品を前にした観客の反応は「色彩やピアノ、大理石などの不活性の素材を横断するように進行する美の浸透」[三八]によって引き起こされる。ガタリは芸術作品を過渡的対象とみなすこの理論を自らの思想に取り入れた。主体の流動性に関する彼の直観は、それを足がかりに得られたのである。すでに確認したように、主体性の構成要素はさまざまに異なる〈実存の領土〉に、一時的にのみ引っかかることでその機能を遂行する。芸術作品は視線を拘束するのではなく、自らの周囲に主体性のさまざまな構成要素を結晶化させ、新たな消失点へ向けて再分配するという、審美的まなざしが引き金となる、幻惑と催眠のプロセスを生じさせるのである。作品は、完成作や自閉的な全体性を対象とする古典的な受容美学によって定義されたような留め金とは、まるで正反対の存在なのだ。この美の流動性は、作品の自律性の問題と密接に関わっている。ガタリは作品を、ラカンの無意識における対象aのように、「相対的自律化の働き」[24]によってのみ自律性を獲得する〈部分対象〉として定義した。ここで美的対象は〈部分的言表行為者〉の地位を得ることになり、自律性を獲得することによって「新たな参照領域の分泌」を可能にするのだ。[三九]芸術作品を部分対象とみなすこの定義は、極めて肯定的に芸術形式の変化を受け入れるものである。〈記号の組み合わせからできているセグメント〉[四〇]としての美的部分対象は、「自分のために働く[四一]」ために、〔支配的な意味作用に従う〕主体性の集団的生産から、自らを切断することになる。この美的部分対象の理論を採用することで、イメージや情報のサンプリング、すでに社会化され歴史化された形式の二次利用、集合的アイデンティティの構築といった、イメージのハイパー・インフレーション体制から生まれた、今日もっとも一般的な芸術生産の手法について、申し分なく記述することが可能になる……。部分対象の戦略によって、作品は傑作という伝統的な自律性の概念を与えられる代わりに、実存装置の連続体に差し込まれるのだ。部分対象としての作品は、もはや絵画、彫刻、そしてインスタレーションなどといった技法や製品種別を思わせるカテゴリーに従って分類されるのではなく、単に表面、容積、装置として、実存の戦略の一翼を担うのである。ここで我々は、ドゥルーズ＝ガタリが『哲学とは何か』において示した芸術活動の定義――「知覚されるもの（ペルセプト）と情動（アフェクト）の組み合わせによる世界の認識」――の限界に触れている……。なぜなら部分対象――主体性を構成する異質な諸成分が特異化したもの――という観念それ自体が、全体性の観念を誘発するのだから。ガタリは芸術作品を構成する〈部分的言表行為者〉は人間活動の特定のカテゴリーには依存しないとした。ならばなぜ芸術活動は、〈知覚されるもの（ペルセプト）〉と〈情動（アフェクト）〉の平面によって示唆される特定の構成に限定されるのだろうか。充実した芸術作品は、思考の全体的経験の枠内で知覚されるもの（ペルセプト）と情動（アフェクト）を機能させるために、概念（コンセプト）をも提示しなければならないのではないか。さもなければ、機能と対立するカテゴリー化は、思考を基礎付ける物質的平面に避けがたい再構成をもたらすだろう。したがってガタリの記述に基づく、より適切なアートの定義は次のようになるだろう――世界の認識を目指し、知覚されるものと情動を通じて概念を構築すること……。

芸術的＝エコゾフィー的実践のために

エコゾフィー的事象は、環境と社会と主体性の倫理＝政治的な接合によって構成される。エコゾフィーの課題は、〈統合された世界資本主義〉による脱領土化の暴力によって引き裂かれ、失われた政治的領域を再構築することである。「現代においては、有形無形の物質材・非物質材の生産が個人的・集団的な実存の領土の一貫性をそこなうかたちで激化するのにともなって、主体性のなかに巨大な空洞を生じさせ、ますます不条理な、どうしょうもない事態をまねこうとしている[25]」。そして包括性と相互依存性に立脚するエコゾフィーの実践は、これまでは目立たない役割しか演じてこなかった主体性の機能様態に基づいて、実存の領土の再構成を目指すのだ。エコゾフィーは「社会的なもの、私的なもの、市民的なものを恣意的にセクター化していた古びたイデオロギーに取って代わ[26]」ることができるのかもしれない。こうした観点に立てば、アートは高度に組織されると同時に高い〈浸透性〉を有する〈内在平面〉[27]を供給する限りにおいて、依然として主体化のための貴重な補助手段であることが明らかになる。そして、クレメント・グリーンバーグに主導された〈モダニズム〉のフォーマリズム理論によって授けられた、アートの自律性（とそれに伴うセクター化）を否定する方向へ展開するコンテンポラリー・アートは、なおさら主体化に貢献するであろうことは疑いない。

いまやアートは、さまざまな手法やコンセプトが流入するハイブリッドな領域として定義される。フルクサス運動の推進者であったロベール・フィリウによれば、アートは、出生の地に安住することができなかったすべての逸脱的実践に対して、さしあたっての〈保護権〉を行使するのだ。だからここ三十年間に生み出された数多くの優れた作品は、それ以外の領域で限界に達してしまったために、芸術の領域にたどり着くほかはなかったのである——たとえば詩人であったマルセル・ブロータースはイメージを用いた詩作の手法を見出し、ヨーゼフ・ボイスは形式を用いて政治を追求する手法を編み出したのだ。ガタリはこうした横滑り、すなわちこの極めて多様な生産体制を受け入れるモダン・アート〔原文ではl'art moderneとなっているためそれに従って訳出したが、文脈を鑑みるとl'art contemporain（コンテンポラリー・アート）の誤記と思われる〕の寛容さを認めていたのだろう。彼は、特定の専門家によって導かれる特殊な活動としてのアートを積極的に批判した。クリニックでの臨床経験は、知識の断片化やその最新の帰結である〈職業組合的な主体性[四二]〉の現れを目の当たりにした際にガタリが見せる戸惑いと、大いに関係がある。職業組合的な主体性は、例えば〈セクター化〉された思考を反映し、「そのすべてが何よりも技術的、文化的な狙いをもっていたことを示す洞窟壁画を美的対象とすること[四三]」へと我々を導こうとするのである。

数年前〔一九八四年〕にニューヨーク近代美術館〔MoMA〕にて開催された、「二十世紀美術におけるプリミティヴィズム」展は、「一方には部族的、種族的、神話的な、もう一方には文化的、歴史的、経済的な」文脈から引き離された作品のあいだの、「形態上の、形式主義的な、結局のところかなり表面的な相関関係[四四]」を盲信的に受け入れるものであった。芸術的実践の根源は主体性の生産にある——そこでどのような生産様式が適用されるかは大きな問題ではない。とはいえ、選択された**言表行為のアレンジメント**によって主体性の生産が規定されることは明らかである。

現在のアートの行動経済学

「どのようにクラス〔学級〕を、芸術作品のように生きさせるか[28]」とガタリは問う……。こうして彼は美学の最終問題を提起するのだ。それは美の使用価値の問題を、すなわち資本主義経済によって隙間なく織り上げられた生地に美を挿入する方法を問うことである。十九世紀末以降、近代性を基礎付けているのは〈芸術作品としての生〉という思想であり、そう考えるには十分な理由がある。オスカー・ワイルドは、近代は「アートが人生を模倣するのではなく、人生がアートを模倣する」時代であると言った……。実践（自己を変革する行為）と制作（ポイエーシス）（素材の生産と加工を目的とする、奴隷的な〈必要〉に基づく活動）を切り離そうとする因習を批判するとき、マルクスもまた同じ方向へ向かう。彼は「実践は常に制作へ向かう、逆もまたしかり」と考えた。後にジョルジュ・バタイユは、自身の著作を、「まったき人間存在になることを放棄し、社会的に交換される諸機能のひとつになること」――資本主義経済体制の基盤――に対する批判の書として位置づけた。三つの作用領域――学問、虚構、行動［science, fiction et action］――〔への隷属〕は人間存在をあらかじめ確立された機能別のカテゴリーに分類し、ばらばらにしてしまうのである[29]。だからガタリのエコゾフィーは、バタイユと同じく、実存の全体性を主体性の生産の前提条件として定める。そこで主体性の生産は、マルクスにとっての労働、バタイユにとっての内的経験と同様に、失われた全体性を個別的、集合的に再構成するための中心的な役割を担うのである。ガタリは言う、「人間の活動が追求する目的で唯一容認できるのは、世界と関係しながら常に自己を豊かにしていくような主体性の生産である[30]」。我々の同時代のアーティストたちの実践に適用される理想的な定義とは次のようなものである――従来のアートの領域を画定していた具体的な事物に代わって、時間を素材とし、制作方法や存在様態をも包含する、実存のための装置を創造し演出すること。事物よりも形相を、カテゴリーよりも流れを――物質的素材による事物の生産よりも身振りの生産が優先される。今日の観客は、自らの参照世界に閉じこもる内在的対象を鑑賞するのではなく、〈触媒的時間のモジュール〉[四五]の臨界を乗り越えるよう導かれる。一方アーティストは、動き続ける主体化の宇宙に、あるいは自身の主体性のマネキン人形として自らを提示する。その時アーティストは、その作品を統合する原理としての特権的経験の領土に生成変化する。その過程は、近代性の歴史全体を予示するものとなる。芸術的対象は、この行動経済学において見せかけのアウラを獲得する。それは芸術作品の商業的流通に抵抗するための、あるいはそれに擬態しながら寄生するためのエージェントである。

造形的オートポイエーシス装置の中で消費され、再生産される、集団的生産物（大量生産品）としての〈レディ・メイド〉――それが特権的モデルとなる心的宇宙において、ガタリの思考スキームは、現在のアートが経験している変化を考察する上で我々の助けとなる。しかし、アートの領域内で限定的に生じている事象などはガタリの主要な関心事ではない。彼にとって美はなによりもまず社会の変化に随伴し、その流れを変えるものでなければならないのだから……。「地平線上に現れつつある野蛮、精神の内部崩壊、カオスモーズ的な痙攣という試練[四六]」を乗り越え、「それらを不可知の豊かさと喜びに変え[31]」る助けにならないのならば、主体化の宇宙を再構成する詩的機能には何の意味もないだろう……。

語彙解説

アーティスト

批評家のベンジャミン・ブクローは、一九六〇年代のコンセプチュアル・アートやミニマル・アートに言及しつつ、アーティストを、社会に〈自らの労働の物質的成果〉を届ける〈学者（サヴァン）／哲学者（フィロゾフ）／職人（アルティザン）〉として定義した。ブクローによれば、こうした人物像はイヴ・クライン、ルーチョ・フォンタナ、そしてヨーゼフ・ボイスらに代表される〈霊感を有する超越論的な主体〉の後継者たちであることを意味する。近年のアートの展開は、ブクローの直観にささやかな修正を加えたに過ぎない——今日のアーティストは記号のオペレーターとして、二重のシニフィアンを供給するために、生産構造をモデル化する。彼らは起業家（アントレプレナー）／政治家（ポリティシアン）／映画監督（レアリザトゥール）なのだ。すべてのアーティストの最大共通分母は、彼らが何かを見せているということだ。何かを見せる行為は、それが再現であろうと指示であろうと、アーティストを定義するに十分なものである。

アート

一般的に美術史と呼び習わされる物語に登場する対象の総称。この物語は絵画、彫刻、建築の三つの部分集合を通じて批評の系譜学を確立し、それら対象の提起する諸問題を考察する場となってきた。

今日、〈アート〉という語は、この物語の内部では説明し尽くすことのできない意味を有しており、そのより正確な定義は次の通りである——アートは、記号、形式、身振りもしくは物理的対象を通じて世界との諸関係を不断に生産し続ける活動である。

アート（の終わり）

〈アートの終わり〉は観念的な歴史観の中にしか存在しない。とはいえ、我々は若干のアイロニーとともに、〔芸術の過去性に関する〕ヘーゲルの定式を次のように言い換えることが出来る

──「アートは」それがスタイルになることを通じて、「我々にとって過去のものとなる」。だからこそ、我々は現在起きていることに対してなにものにも縛られることなく向き合わなければならない。それは常に、我々のア・プリオリな認識能力を超えるのだから。

アカデミスム

死んだ記号と形式に執着し、それらを美化しさえする態度

同義語──尊大で因習にとらわれた芸術家

「それが彼にとって好都合だからこそ、彼は意図的に尊大に振る舞うのだろう」（サミュエル・ベケット（二））。

イメージ

作品の制作には展示方法を考案することが必然的に含まれる。これによって、すべてのイメージは行為と等価なものになる。

エキストラの社会

ギー・ドゥボールは、商品が〈社会生活を完全に支配〉し、資本がイメージに変わるほどの〈集積度〉に達した歴史的段階をスペクタクルの社会として定義した。そして我々は、スペクタクル化が完了した後の時代を生きている。いまや個人は受動的で極めて影響されやすい状態を経て、強制力をもつ市場の命令によって、最小限の行動しか取ることができない状態へと追いやられた。ヴィデオ・ゲームの普及によってテレビの視覚的消費〔＝視聴時間〕が縮小しているのにはそういった理由がある。そしてスペクタクルの階級制度によって〈空虚なモナド〉、すなわちマネキン人形のような人々や政策を持たない政治家たちに特権的地位が与えられる。こうして誰もが、ヴィデオ・ゲーム、街頭インタビュー、三面記事を通じて十五分間の有名人になるよう強いられるのである。これこそミシェル・フーコーが描いてみせた〈汚辱に塗れた人びと〉の君臨である。それは突然メディアの注目を浴びることになる、匿名の〈凡庸な〉人間たちなのだ。我々はスペクタクルの消費者と見なされた後、最終的にそのエキストラになるよう勧告されるのである。この変化には歴史的背景が存在する――旧ソヴィエト連邦陣営が降伏してからというもの、資本主義の帝国の進路上にはいかなる障壁も存在しないのだ。社会領域の全体を意のままにする帝国は、制限付きの自由空間で人々が浮かれ騒ぎに興じるよう促すのである。こうして我々は、消費社会に続いてエキストラの社会——そこでは個人がフリーランスの臨時被雇用者になり、公共空間の利用登録者に変わる——の到来を目の当たりにすることになる。

関係性（の美学）

ある芸術作品を、それが描き出し、生産し、生み出す人間関係〔諸個人間の社会関係〕に応じて批評する美の理論（「共存の基準」の項を参照せよ）。

記号間旅行者（セミオノート）（二）

現在のアーティストは記号間旅行者である。彼らはさまざまな記号を遍歴し、その軌道を描き出すのである。

共存の基準

あらゆる芸術作品は、現実を置き換える、もしくは現実に翻訳可能な社会モデルを生産する。したがってどのような美的制作物を前にするときでも、我々には次のように問う権利がある——

〈私はこの作品と対話することを許されているのだろうか。私はこの作品が定める空間に存在することができるのだろうか。どうすればそこに存在することができるのだろうか〉。形式は程度の差こそあれ民主的なものである。念のため、全体主義体制下のアートが作り出す形式は独断的かつ自己完結的（それらはとりわけ対称性を強調していた）であり、観客に作品を補完する機会を与えていなかったことを忘れてはならない（「関係性（の美学）」の項を参照せよ）。

近代

近代性の理念は消滅したのではなく、現代に適応したのである。したがって〈総合芸術〉は、今や目的論的な内実を完全に欠いたまま、そのスペクタクルとして実現されることとなった。我々の文明は社会機能の超専門化による分断を、余暇活動を通じて進められる統一によって埋め合わせていると言っていい。そういったわけで我々は、二十世紀末における平均的な個人の美的経験が、世紀初頭に前衛主義者たちの想像したそれと、多かれ少なかれ似通っていることを難なく予想できる。インタラクティヴなヴィデオ・ディスクやCD－ROM、ますますマルチメディア志向を強める家庭用ゲーム機、そしてディスコやテーマパークなどの極限まで洗練された大衆向け娯楽施設に囲まれている我々は、娯楽が統合的形式へと圧縮されていく段階に到達しようとしているのである。アートもまた高密度化へと向かうのだろうか。表現において十分な自律性を有するCD－ROMやCD－i〔コンピューターでの利用を前提とした対話的アプリケーションを含むCD規格、Compact Disk Interactive の略称〕の再生機器が容易に入手できるようになれば、書物、展覧会、映画は、新しい形で文書、イメージ、音楽を流通させる、ますます我々の思考を補い、我々の思考の介入を制限する表現様式と競合するようになるだろう。

形式（フォルム）

世界を模して作られる構造的統一体。芸術的実践とは、異質な諸々のものごとが出会う平面を作り出し、世界との関係を生産するために〈持続〉可能な形式を創造することである。

行動

一、すでに確立された二つのジャンルである事物の歴史と形式の歴史と並んで、行動の歴史を創出することが今後の課題である。美術史が、この三つの部分集合（事物、形式、行動の歴史）のすべてを代替し続けることができると考えるのは、素朴に過ぎると言えるだろう。アーティストの最も短い伝記は、作品空間において実現される身振りにこそ属しているのだ。

二、時間のプロデューサーとしてのアーティスト。

すべての全体主義イデオロギーを特徴付けるのは、生きられる時間を支配しようとする意志である――それは個人によって生きられ、創出される柔軟な時間を、社会全体の意味を見通すことができる単一の点という幻想に置き換えるのである。全体主義は不動の時間形式を確立し、生きられた時間の画一化と集団化を徹底しようと試みる。つまり何よりもまず行動を画一化し管理下に置くことを目的として、永遠という幻想を打ち立てようとするのだ。フーコーは正しくも、生の技芸は「すでに確立されたものであるにせよ、現れつつあるものであるにせよ、ファシズムのあらゆる形態[三]」に抗うものであるという事実を強調した。

事実性

アートが開くのは、意志が宙吊りにされる世界（ショーペンハウアー）でも、偶然性を排除した世界（サルトル）でもなく、事実的なもの〔事実と見せかけたもの〕を一掃した空間である。その事実的なものは、本物であること（馬鹿げたことにアートの価値とされているもの）となんら対立することなく、一貫性を、それも偽りの一貫性を、〈真実〉という幻想で置き換える。それは〔アート産業の〕熱心な下請け労働者たちを欺く悪質な嘘なのである。彼らは、よく言えば胸を打つような誠実さを見せはするのだが、結局彼らが語ることは、必然的に間違ったものとなるのだ。

スタイル

作品の運動、その軌道。「思考のスタイル、それはその運動にある」（ジル・ドゥルーズ／フェリックス・ガタリ）。

住むこと（アビテ）

かつて未来の建築とアートを生み出そうと思いを巡らせたアーティストたちは、今日、〔現在の世界に〕住むための方法を提案する。我々の時代の近代性はエコロジーの形で現れるのであり、既存の形式やイメージの〔再〕利用から逃れることは出来ないのである。

操作的リアリズム

美的装置の中で機能性の領域を提示すること。作品は機能的モデルであって縮尺模型ではない。言わば、スクリーンの大きさに応じて投影される画像の大きさが変化するデジタル・イメージと同様に、物理的な広がりについては考慮に入れられていないのである。スクリーンは額縁とは異なり、あらかじめ決められたサイズに作品を閉じ込めることなく、未知の広がりにおいて作品の潜在性を物質化するのである。

美

人間と他の動物とを区別する観念。死者の埋葬、笑い、自殺などは、結局のところ、人間の生は美的、儀式的に作り上げられるという根源的直観から派生した振る舞いに他ならない。

批判的唯物論

世界は物質材の偶然の出会いによって成立している（ルクレティウス、ホッブズ、マルクス、アルチュセール）。アートも同様に記号や形式が偶然に、カオス的に結合することによって作られる。今やアーティストたちは、まず出会いの空間を作り出すのである。現在のアートは制作行為の成果を提示するのではない。アーティストが提示するのは制作行為そのものなのであり、来たるべき制作行為なのだ。

文脈

一、アートとは本来的に、それが見せられる空間に対する芸術的介入の形式である。これまでアーティストによる展示空間の考察は、その物理的側面に、つまり建築的要素に向けられていた。しかし一九九〇年代のアートでは、もう一つの可能性、すなわち展覧会全体の文脈——展覧会の制度的構造、展覧会を取り巻く社会的＝経済的特性、展覧会の当事者たち（アクトゥール）——についての考察が優勢となった。後者の手法には極めて精緻な手つきが求められる。こうした文脈研究によって、芸術的行為はイデオロギーとは無縁の空間に空から降ってくるようなものではないことを、我々は気付かされるのだが、一方でそれには、社会学入門以上の展望が求められる。芸術作品の意味を解読する際には、展示空間の社会的性質（アートセンター、都市、地域圏、国……）を機械的に抽出し、それを〈明るみに出す〉だけでは不十分なのだ。複雑な思考によって意味の建築を作り上げるアーティストたち（ダン・アッシャー、ダニエル・ビュレン、ジェフ・ゲイス、マーク・ダイオン）のモンテリマールでの展覧会を、彼の地のヌガー産業の現状や失業者数と〈関連付ける〉概念的建築作業員がどれほど現れることか。こうした誤謬は、美的な事象の意味をただ文脈にのみ求めようとすることによって生み出されているのである。

二、 批判哲学以後のアート

哲学を〈乗り越えた〉後（ジョゼフ・コスース）[四]、今やアートはコンセプチュアル・アートによって広められた批判哲学の視点をも乗り越えるに至った。神の恩寵によって自らを世界の外部に置き、世界との一切の関わりを放棄した上で世界について判断を下そうとする、アーティストの〈批判的〉立場は疑問に付される。こうした観念論的立場は、ラカンの直観――無意識は自分自身の分析家である――の対極にある。そしてマルクスの教えに従うなら、真の批判とは現実そのものを変えるために、現に存在するものに向けられる批判に他ならない。なぜならアーティストが、彼自身の表象する世界から抜け出し、逃げ込むための精神の部屋など存在しないのだから。

身振り（ジェスト）

心理状態を明らかにし、思考を表現しようとする身体の運動。身振りが表現するのは芸術作品の制作時に遂行される、制作から周辺的な諸記号（行為、出来事、物語）の生産にいたるまでの必要な操作の総体である。

予告編

芸術作品は当初、出来事それ自体（古典的絵画）として受容された。その後、出来事の図像的な記録（ジャクソン・ポロックの作品、パフォーマンスやアクションの記録写真）とみなされた時代を経て、今日では未来の、あるいはいつまでも先延ばしにされる出来事の、その予告編の役割を果たすようになった。

リレーショナル（・アート）

自律的かつ私的な空間よりも、あらゆる人間関係とその社会的文脈を理論上および実践上の出発点とする芸術的実践の総体。

レディ・メイド

映画の発明と同時代に生み出された芸術形態。これ以降、アーティストは主観カメラとして現実世界を逍遥する撮影者として定義されるようになった――そして美術館は、その実践を記録するためのフィルムの役割を担うことになる。デュシャンによって初めて、アートは記号を通じて現実を翻訳するのではなく、現実をありのままに提示するようになったのだ（デュシャン、そしてリュミエール兄弟……）。

原註

序文

（1）「美的パラダイム（フェリックス・ガタリとアート）」は『キメラ』第二一号（一九九三年）〔*Chimères*, 1993, N°21.〕所収。第五章「関係的なスクリーン」は第三回リヨン・ビエンナーレのカタログ（一九九五年）〔cat. *Installation, Cinéma, Vidéo, Informatique*, 3e Biennela d'Art Contemporain de Lyon, 1995〕所収。

第一章

（1）Jean-Francois Lyotard, *Le postmodernisme expliqué aux enfants*, Poche-Biblio, Paris, p.108.〔ジャン＝フランソワ・リオタール『こどもたちに語るポストモダン』管啓次郎訳、ちくま学芸文庫、一九九八年、一二七頁。〕

（2）Michel de Certeau, *Maniéres de faire*, Gallimard, Paris, 1980.〔ミシェル・ド・セルトー『日常的実践のポイエティーク』山田登世子訳、国文社、一九八七年、三一頁。〕

（3）Louis Althusser, *Écrits philosophiques et politiques*, Stock-IMEC, Paris, 1995, p.557.〔ルイ・アルチュセール『哲学・政治著作集Ⅰ』市田良彦・福井和美訳、藤原書店、一九九九年、五一八頁。〕

（4）Michel Maffesoli, *La Contemplation du monde*, Grasset, Paris, 1993, p.148.〔ミシェル・マフェゾリ『現代世界を

読む――スタイルとイメージの時代』菊地昌実訳、法政大学出版局、一九九五年、一一〇頁。〕

（5） Hubert Damisch, *Fenêtre jaune cadmium*, Seuil, Paris, 1984.〔ユベール・ダミッシュ『カドミウム・イエローの窓 あるいは絵画の下層』岡本源太・桑田光平・坂口周輔・陶山大一郎・松浦寿夫・横山由季子訳、水声社、二〇一九年。〕

（6） Thierry de Duve, *Essais datés*, La Différence, Paris, 1987.

（7） Emmanuel Lévinas, *Éthique et infini*, Librairie Arthème Fayard et Radio-France, Paris, 1982, p.94〔エマニュエル・レヴィナス『倫理と無限――フィリップ・ネモとの対話』西山雄二訳、ちくま学芸文庫、二〇一〇年、一二三頁。〕

（8） Serge Daney, *Persévérance*, P.O.L., Paris, 1992, p.38.〔セルジュ・ダネー『不屈の精神』梅本洋一訳、フィルムアート社、一九九六年、五〇頁。〕

（9） Tzvetan Todorov, *La Vie commune*, Seuil, Paris, 1994.〔ツヴェタン・トドロフ『共同生活――一般人類学的考察』大谷尚文訳、法政大学出版局、一九九九年。〕

第二章

（1） Pierre Bourdieu, *Raisons pratique*, Seuil, Paris, p.68〔ピエール・ブルデュー『実践理性――行動の理論について』加藤晴久・石井洋二郎・三浦信孝・安田尚訳、藤原書店、二〇〇七年、八三頁。〕

（2） ルーシー・リッパード『脱物質化する芸術作品』〔Lucy R. Lippard, *Six Years: The dematerialization of the art object from 1966 to 1972*, University of California Press, Berkeley, 1973〕およびロザリンド・クラウスの「拡張された場における彫刻」〔Rosalind Krauss, «Sculpture in the Expanded Field», *October*, vol. 8., The MIT Press, Cambridge, 1979, pp. 30-44. ロザリンド・クラウス「彫刻とポストモダン――展開された場における彫刻」、ハル・フォスター編『反美学』室井尚・吉岡洋訳、勁草書房、一九八七年所収〕を参照のこと。

（3） Félix Guattari, *La révolution moléculaire*, 10/18, Paris, 1977, p.22.〔フェリックス・ガタリ『分子革命――欲望

社会のミクロ分析』杉村昌昭訳、法政大学出版局、一九八八年、一五頁。〕

（4）　この概念についてはニコラ・ブリオー「操作的リアリズムとは何か」〔Nicolas Bourriaud, «Qu'est-ce que le réalisme opératif ?», in cat. *Il faut construire l'Hacienda*, CCC Tours, 1992.〕および「世界との関係を生産すること」〔Nicolas Bourriaud, «Produire des rapports au monde», in cat. *Aperto 93*, Biennale de Venise, 1993.〕を参照のこと。

（5）　「愛の冬」［L'hiver de l'amour］展と「トラフィック」［Traffic］展。

第三章

（1）　Hubert Damisch, *Fenêtre jaune cadmium*, Seuil, Paris, p.76.〔ユベール・ダミッシュ『カドミウム・イエローの窓　あるいは絵画の下層』、七七頁。〕

第四章

（1）　Cornélius Castoriadis, *La montée de l'insignifiance*, Seuil, Paris, 1996.〔コルネリュウス・カストリアディス『意味を見失った時代——迷宮の岐路〈Ⅳ〉』江口幹訳、法政大学出版局、一九九九年、七三頁。〕

（2）　*Felix Gonzalez-Torres*, ed. Nancy Spector, cat. du Guggenheim Museum, 1995, p.192.

（3）　*Felix Gonzalez-Torres*, p. 73.

（4）　Michael Fried, *Art & Objecthood*, *Minimal art : a critical anthology*, ed. Gregory Battcock, Dutton, NY, p.127.〔マイケル・フリード「芸術と客体性」川田都樹子、藤枝晃雄訳、『批評空間別冊　モダニズムのハードコア——現代美術批評の地平』、大田出版、一九九五年、七一頁。〕

（5）　この論点についてはミシェル・マフェゾリの著作、特に『現代世界を読む——スタイルとイメージの時代』を参照のこと。

（6）　Dave Hickey, *The invisible dragon: Four essays on beauty*, Art Issues Press, Los Angeles, 1995, p.11.

（7）Hickey, *The invisible dragon: Four essays on beauty*, p. 17.

第五章

（1）これについてはニコラ・ブリオー「操作的リアリズムとは何か」〔Nicolas Bourriaud, «Qu'est-ce que le réalisme opératif ? », in cat. *Il faut construire l'Hacienda*, CCC Tours, 1992.〕および「世界との関係を生産すること」〔Nicolas Bourriaud, «Produire des rapports au monde», in cat. *Aperto 93*, Biennale de Venise, 1993.〕を参照のこと。

（2）Pierre Lévy, *La Machine univers. Création, cognition et culture informatique*, La Découverte, Paris, 1987, p.50.

（3）M. Broodthaers, in cat. *L'angélus de Daumier*, 1975.

（4）ニコラ・ブリオー「映画監督のアート」〔Nicolas Bourriaud, «Un art de réalisateurs», *Art Press*, n°147, mai 90.〕。「静止した短編映画」展はヴェネツィア・ビエンナーレ（一九九〇年）期間中に開催された。

（5）Philippe Parreno, «Une exposition serait-elle une exposition sans camera ?», *Libération*, 27 mai 1995.

（6）W. Benjamin, *Essais II*, Denoël-Gonthier, Paris, 1983, p.105.〔ヴァルター・ベンヤミン「複製技術時代の芸術作品」、『ベンヤミン・コレクションⅠ』浅井健二郎編訳、筑摩書房、一九九五年、六〇八―六〇九頁。〕

（7）Nicolas Bourriaud, «The trailer effect (l'effet bande-annonce)», *Flash Art*, n°149, November / December 1989, pp.112-115.

（8）Serge Daney, «Journal de l'an passé», *Trafic*, n°1, hiver 1992, p.6.〔引用はブリオーによって変更が加えられているが、文脈を考慮し、翻訳は原文に基づいた。〔　〕内は訳者による補足。〕

第六章

（1）〔作品にとって〕偶然は重要だが、それは制作時に限られる。ひとたび展示されれば作品は事実性の世界を離れ、すべては解釈に属することになる。

（2） Félix Guattari, *Chaosmose*, Galilée, Paris, 1992, p.19.〔フェリックス・ガタリ『カオスモーズ』宮林寛・小沢秋広訳、河出書房新社、二〇〇四年、一六頁。〕引用部が特定の著作にのみ参照される場合に原著への註を記載した。いくつかの引用箇所では引用元を挙げていないが、それらは複数の箇所や著作に見出される内容のためである。

（3） Guattari, *Chaosmose*, p.15.〔ガタリ『カオスモーズ』、一二頁。〕

（4） Guattari, *Chaosmose*, p.23.〔ガタリ『カオスモーズ』、二〇頁。〕

（5） Guattari, *Chaosmose*, p.21.〔ガタリ『カオスモーズ』、一九頁。〕

（6） Félix Guattari, *Les trois écologies*, Galilée, Paris, 1989, p.24.〔フェリックス・ガタリ『三つのエコロジー』杉村昌昭訳、平凡社ライブラリー、二〇〇八年、二二頁。〕

（7） Félix Guattari, *L'inconscient machinique: Essai de schizoanalyse*, Recherches, Paris, 1979.〔フェリックス・ガタリ『機械状無意識――スキゾ分析』高岡幸一訳、法政大学出版局、一九九〇年。〕

（8） Guattari, *Les trois écologies*, p.22.〔ガタリ『三つのエコロジー』、一九頁。〕

（9） Marc Sherringham, *Introduction à la philosophie esthétique*, Payot, Paris, 1992.

（10） Roger Caillois, *Cohérences aventureuses*, Gallimard, Paris, 1976.〔ロジェ・カイヨワ『自然と美学』山口三夫訳、法政大学出版局、一九七二年、一七頁〕

（11） Guattari, *Chaosmose*, p.38.〔ガタリ『カオスモーズ』、三八頁。〕

（12） Guattari, *Chaosmose*, p.19.〔ガタリ『カオスモーズ』、一六頁。〕

（13） Guattari, *Chaosmose*, p.12.〔ガタリ『カオスモーズ』、八頁。〕

（14） Guattari, *Les trois écologies*, p.24.〔ガタリ『三つのエコロジー』、二一頁。〕

（15） Guattari, *Les trois écologies*, p.30.〔ガタリ『三つのエコロジー』、二七頁。〕

（16） Gilles Deleuze / Félix Guattari, *Qu'est-ce que la philosophie ?*, Les Éditions de Minuit, Paris, 1991, p.8.〔ジル・ドゥルーズ／フェリックス・ガタリ『哲学とは何か』財津理訳、河出書房新社、一九九七年、六頁。〕

（17） Guattari, *Les trois écologies*, p.27.〔ガタリ『三つのエコロジー』、二五頁。〕

（18） Guattari, *Chaosmose*, p.26.〔ガタリ『カオスモーズ』、二五頁。〕

（19） 以下を参照のこと。Guattari, *Chaosmose*, p.33. Félix Guattari, «Cracks in the street», *Flash Art*, n° 135, Summer 1987.

（20） Guattari, *Chaosmose*, p.33.〔ガタリ『カオスモーズ』、三二頁。〕

（21） Félix Guattari, «Refonder les pratique sociales», *Le Monde diplomatique*, L'agonie de la culture, octobre 1993.

（22） Guattari, *Chaosmose*, p.28.〔ガタリ『カオスモーズ』、二七頁。〕

（23） Marcel Duchamp, «Le processus créatif», *Duchamp du Signe*, Flammarion, Paris, 1994.〔マルセル・デュシャン「創造過程」、ミシェル・サヌイエ編『マルセル・デュシャン全著作』、北山研二訳、未知谷、一九九五年、二八三―二八六頁。〕

（24） Guattari, *Chaosmose*, p.27.〔ガタリ『カオスモーズ』、二六頁。〕

（25） Guattari, *Les trois écologies*, p.39.〔ガタリ『三つのエコロジー』、三七頁。〕

（26） Guattari, *Chaosmose*, p.185.〔ガタリ『カオスモーズ』、二一一頁。〕

（27） Deleuze / Guattari, *Qu'est-ce que la philosophie ?* , p.38.〔ドゥルーズ＝ガタリ『哲学とは何か』、五四頁。〕

（28） Guattari, *Chaosmose*, p.183.〔ガタリ『カオスモーズ』、二〇九頁。〕

（29） Georges Bataille, «L'Apprenti sorcier», ed. Denis Hollier, *Le college de sociologie*, Gallimard (Gallimard-Idées), Paris, 1979.〔ジョルジュ・バタイユ「魔法使いの弟子」、ドゥニ・オリエ編『聖社会学』金子正勝・中沢信一・西谷修訳、工作舎、一九八七年、三五―五四頁。〕

（30） Guattari, *Chaosmose*, p.38.〔ガタリ『カオスモーズ』、四〇頁。〕

（31） Guattari, *Chaosmose*, p.187.〔ガタリ『カオスモーズ』、二一二頁。〕

訳註

序

（一）　ここでブリオーが提起しているのは、単に新しい芸術的実践の客体的・造形的な対象に関する問題ではなく、新しい芸術的実践において何が、どのように対象を構成するのかという問題を含んでいる。彼にとって（物質的）「形式」に関する問題はグリーンバーグ的なモダニズムにおける自律した鑑賞対象の造形的構成を越えるものであり、主体的実践を含むものとして問われている。なお、本書中で使われる forme は基本的に「形式」と訳すが、文脈や日本語としての理解のしやすさを考慮して「形態」、「かたち」などの訳語を適宜採用した。

（二）　主にクレメント・グリーンバーグが主導した、作品を構成する物質的メディウムの固有性とアートの自律性に基づくモダニズムの理念に沿った美術史を指していると思われる。

（三）　本書中の作品記述に関して該当の作品が特定できる場合には、読者の理解を助ける目的で原文に適宜修正を加えている。

（四）　本書中では、conviviale は主に人間相互のさまざまな「交換」が行われる、「友好的」な場や空間を指す言葉として用いられていることから、いくつかの例外を除いて基本的に「交歓的」（他の語形についてもこれに準じて訳出している）の訳語を当てた。ブリオー「関係性の美学のために」（序文訳註（六）を参照のこと）の英訳の訳註には、フランス語の conviviale は user-friendly（使いやすい、わかりやすい）の意味を含むことが指摘されている。またドゥルーズ＝ガタリ『アンチ・オイディプス』にはイヴァン・イリイチの文脈に沿ってコンヴィヴィアルな社会についての指摘がある。要約すれば――コンヴィヴィアルな社会とは生産手段が集団によって所有されるのではなく、個人によって一時的に利用される社会（非オイディプス的な欲望の社会）であり、生産手段の利用を最大化し、機械を小さくかつ多様化し、生産者と利用者＝消費者の区別も知識の専門化や職業の独占も廃棄する社会を意味している。Gilles Deleuze / Félix Guattari, *L'ANTI-ŒDIPE: Capitalisme et schizophrénie*, Les Éditions de Minuit, Paris, 1972, p.479.（ジル・ドゥルーズ／フェリックス・ガタリ『アンチ・オイディプス』市倉宏祐訳、河出書房新社、一九八六年、四七五頁。）

（五）　テクノロジーの進歩によって空間的／時間的隔たりを越えてコミュニケーションを高速化／効率化するための社会基盤に関する構想を指す言葉。現在の我々にとってはインターネットとして実現したネットワークを念頭に置けば良いだろう。

（六）　トマス・モア「ユートピア」の冒頭部分に収められる「ユートピア島についての六行詩」にあるように、ユートピアは「ウートピア（Vtopia）」と「エウトピア（Eutopia）」、すなわち「どこにもない場所（ou-topos）」と「良い場所（eu-topos）」というギリシャ語をもとに造語されたものである。したがってユートピアという語は、この二つの重ね合わせとして「どこにもない理想郷」という意味をもつ。ブリオーは本書において、モアによる現実から切り離された空想的な存在としてのユートピアを、主体的な活動によって現実的に造形可能な空間として捉えなおそうと試みていると思われる。

（七）　本書の序文から第三章までは、ニコラ・ブリオー「関係性の美学のために」(Nicolas Bourriaud, «Pour une Esthétique relationnelle», *Documents sur l'art*, n°7, 1995, pp.88-99.)、「関係性の美学（第二部）」(Nicolas Bourriaud, «L'Esthétique relationnelle (deuxiéme partie)», *Documents sur l'art*, n°8, 1996, pp.40-47.)、および「関係性の美学序論」(Nicolas Bourriaud, «Introduction à l'Esthétique relationnelle», in cat. *Traffic*, CAPC Musée d'art contemporain de Bordeaux,

1996.）の三つの論考を再構成し、加筆修正したものである。

第一章

（一）　この箇所について、本書の英語版では「二十世紀は次の二つの世界観が競い合う舞台だったのである。一つは、十八世紀に端を発する近代的合理主義、もう一つは非合理性に基づく自発性と解放の哲学（ダダイスム、シュルレアリスム、シチュアシオニスム）、この二つは、人間関係を規格化し、個人の隷属化を推し進めようとする権威主義的で功利主義的な欲望と完全に対立するものだった」と訳されている。ブリオーによれば、どちらも意味的に違いはないとのことであるが、本書ではフランス語版の記述にしたがった。

（二）　ジル・ドゥルーズ＆クレール・パルネ『ディアローグ――ドゥルーズの思想』江川隆男・増田靖彦訳、河出文庫、二〇一一年、七二頁。

（三）　セルトーは現代の文化消費のあり方の中に、ある種の「アート」あるいは創造性を見出すことが出来るようになったと指摘し、そうした文化消費のあり方を「借家人」式の消費と呼んでいる。ミシェル・ド・セルトー『日常的実践のポイエティーク』、三一頁を参照のこと。

（四）　「理想の世界」という目的を欠いたユートピア、あるいは「ドメスティックな」ユートピア。《ドルチェ・ユートピア》[La Dolce Utopia]（一九九六年）は、ブリオーが企画した「トラフィック」展（一九九六年）に出品されたマウリツィオ・カテランとフィリップ・パレーノのコラボレーション作品のタイトルでもある。

（五）　Michel Maffesoli, *La Contemplation du monde*, Grasset, Paris, 1993, pp.147-148.（ミシェル・マフェゾリ『現代世界を読む――スタイルとイメージの時代』菊地昌実訳、法政大学出版局、一九九五年、一〇九頁。）

（六）　『資本論』において interstice は、古代社会に存在した非ブルジョア的な「本来の」商業民族が存在する「世界の合間」（intermonde）の意味で用いられている。ちなみに interstice の語そのものは『資本論』のフランス語版では使用されておらず、英語版で intermundia を言い換える語として使用される。

（七）　極薄（inframince）とは、フランス語で「薄い」を意味する形容詞 mince と、「下の、以下の」を意味する接頭辞 infra を組み合わせて作られた、マルセル・デュシャンによる造語である。デュシャンはこの言葉をメモの形で数多く残しているが、彼の用法に従えばこの語の意味するところは「観念的な世界と知覚的（網膜的）な世界との間の交換を行う領域」ということになるだろう。「極薄メモ」については以下の文献を参照のこと――マルセル・デュシャン「極薄（アンフラマンス）」岩佐鉄男訳、『ユリイカ――詩と批評』、青土社、一九八三年十月号、五八―六九頁。

（八）　Louis Althusser, «Le Courant Souterrain du Matérialisme de la Rencontre », *Écrits philosophiques et politiques I*, Stock, 1999, pp.553-591.（ルイ・アルチュセール「出会いの唯物論の地下水脈」、『哲学・政治著作集I』市田良彦・福井和美訳、藤原書店、一九九九年、四九九―五三六頁。）アルチュセール自身はこの論考にタイトルを与えておらず、『哲学・政治著作集』の編者が本文中の一節を抜き出して便宜的にタイトルとしたとされる。

（九）　カール・マルクス「フォイエルバッハに関するテーゼ」、マルクス／エンゲルス『新編輯版ドイツ・イデオロギー』廣松渉編訳・小林昌人補訳、岩波文庫、二〇〇二年、二三七頁。「テーゼ」は一八四四年から四七年にかけてマルクスが使用していたノートに書き留められたメモで、その青年期と成熟期の思想を分ける転回点となったテキストとみなされている。そこでマルクスはフォイエルバッハが宗教によって基礎づけられる神学的世界観を放棄し、世界を人間的諸活動の総体として捉えたことを評価する一方で、彼の唯物論の欠陥を、すなわち、それが「事物・現実・感性が客体的、あるいは観察の形式においてのみとらえられていて、人間の、主体的な、感性的活動・実践としてとらえられていない」ことを批判する。マルクスはここで、彼の唯物論哲学の対象である事物的世界は具体的な人間の主体的な活動の総体をも含むものであることを宣言している。

（一〇）　Althusser, *Écrits philosophiques et politiques I*, p.555.（アルチュセール『哲学・政治著作集I』、五〇一頁。）

（一一）　Althusser, *Écrits philosophiques et politiques I*, p.556.（アルチュセール『哲学・政治著作集I』、五〇二頁。）

（一二）　ニーチェの思想の主要テーマの一つ。ニーチェ自身によるまとまった記述はないが、関係性の美学との関連において要約すると、現存する世界とは別に理想の世界があるということを否定し、現に生きられた生の持続を（永遠回帰として）、完成にではなく、生成のうちに肯定する思想、ということになるだろう。余談だが、ブリオーは訳者との会話の中で、最も影響を受けた思想家としてニーチェの名前を挙げていた。芸術作品の生成的、実践的側面を最重要視しながら、一方でその形式化の必要性を強調するブリオーの理論には、創作におけるディオニュソス的作用（流動化、全体化）とアポロ的作用（形態化、範型化）の対を二項対立的にではなく、前者を根底に置きながら、後者を通じて生成の世界を持続するものに転換するニーチェの芸術論の反響を聞き取ることができる。

（一三）　Gilles Deleuze / Felix Guattari, *Qu'est-ce que la philosophie ?*, Les Éditions de Minuit, Paris, 1991, p.155.（ジル・ドゥルーズ／フェリックス・ガタリ『哲学とは何か』財津理訳、河出書房新社、一九九七年、二三二頁。）ガタリ『分子革命』英語版（Félix Guattari, *Molecular Revolution: Psychiatry and Politics*, tr. David Cooper, Penguin, London, 1984）に付された語彙解説によれば、ブロックとはアレンジメント（agencement）に近い言葉であり、多様な知覚システムを通じて作用する強度のシステムの結晶化を意味しているとされる。

（一四）　Serge Daney, *Persévérance*, P.O.L, Paris, 1992, p.37.（セルジュ・ダネー『不屈の精神』梅本洋一訳、フィルムアート社、一九九六年、四八頁。）

（一五）　著者によれば「形成」（formation）はガタリの「アレンジメント」に対して、より具体的、物質的な形式化をも射程に含む語として用いられているということである。

（一六）　固有の価値やルール（差異化原理）を持ち、相対的に自律して運動する社会空間のこと。世界はさまざまな界によって構成され、それぞれの界は固有の原理にしたがって界の内部を構成しつつ他の界に影響を及ぼす。ブルデューは、この領域を導入することによって社会的課題と諸個人の問題を同一の地平で分析しようと試みた。ブリオーにとって「界」のモデルは芸術作品の社会的次元を考察し、記述するための好適なツールとなっているようだ。

（一七） Emmanuel Lévinas, *Éthique et infini*, Librairie Arthème Fayard et Radio-France, Paris, 1982, p.80.（エマニュエル・レヴィナス『倫理と無限――フィリップ・ネモとの対話』西山雄二訳、ちくま学芸文庫、二〇一〇年、一〇七頁。）

（一八） Lévinas, *Éthique et infini*, p.93.（レヴィナス『倫理と無限――フィリップ・ネモとの対話』、一二三頁。）

（一九） Daney, *Persévérance*, p.37.（ダネー『不屈の精神』、四九頁。）

（二〇） Daney, *Persévérance*, p.38.（ダネー『不屈の精神』、五〇頁。）

（二一） 英語版ではこの箇所に誤訳があるため次の通り正反対の意味になっている――「我々を「我々がいなかった場所」に置くとき、すなわち「他者の場所を奪う」とき、イメージは「非道徳的」なものとはならないのである」。

（二二） アンドレ・バザンは現実をありのままに提示することが、映画の美学の基礎であると考え、現実を組み替え、現実に意味を付け加えるモンタージュよりも、シークエンス・ショットを重要視した。またバザンはロベルト・ロッセリーニをはじめとするイタリアのネオレアリズモ運動（映画作品から俳優、演出、物語といったスペクタクル的な要素を極力排除しようとした）を絶賛した。このリアリズムに基づく美学の特徴は、作品を創造する主体よりも撮影される被写体（客体）の存在が重視される点にある。

（二三） 原文に特に説明はないが、言及されている内容からおそらく「『カポ』のトラヴェリング」（『不屈の精神』所収）（Serge Daney, «Le travelling de Kapo», *Persévérance*）のことであろうと思われる。

（二四） ここで「ヴィジュアル」は、異質な欲望の往復運動の契機としての「イメージ」に対置される、同質性に基づく視覚表現として位置付けられている。そこから、「ヴィジュアル」は宣伝広告のような、製作者の意図に従い一義的な欲望を掻き立てる視覚表現とみなすことができる。

第二章

（一） 「アペルト」（Aperto）はヴェネツィア・ビエンナーレの一環として、メイン会場であるジャルディーニ近くのアルセナーレ（造船所跡）で開催される、主に若手アーティストを対象とした企画展示。「アペルト93」はニコラ・ブリオーを含む十三人のキュレーターが共同で企画した。

（二）　「transitivité」はラテン語の transitivus（通過、受け渡し）を語源としており、推移性（数学／論理学）、他動性（文法）などの訳語がある。本書では、芸術作品の媒介的性質（作品自体の特性に基づいて、作品自体とは異なる対象や存在と関係すること）を指す言葉として用いられており、上記の二つの用法と区別するために、「移行性」と訳出している。移行性に関して、ブリオーは「アートの流動性」（«La Fluidite de l'Art», *art press*, 198, January 1995, pp.44-45）と題されたインタビューで次のように話している：「芸術作品は移行的で、反響を引き起こす。ドラクロワからクラインに連なる芸術作品が有するこの性質は、作品の存在論的有限性に抵抗する。作品は常に未完成であり、『鑑賞者によって磨き上げられる』のだ」。「transitivité」の対義語は「intransitivité」であり、この語は「自己自身とのみ関係をもつ」ような性質、つまり純粋性／自律性に言及する。これはグリーンバーグが主導したモダニズムの美術批評において重視された、メディウム・スペシフィシティという概念の基礎をなす性質である。

（三）　一八五三年十月二十日木曜日の日記。この日知人宅に立ち寄ったドラクロワは、ある婦人が馬上の騎士を描いたルーベンスの絵画を見た際の感動を語るのを聞き、自分自身が若かりし頃に同じ絵画作品を見た際の感動を、まるで今まさにその絵画を目前にしているかのように思い出したことについて書き残している。Eugène Delacroix, *Journal de Eugène Delacroix II 1850-1854*, ed. Paul Flat, Librairie Plon, Paris, p.250.

（四）　Marcel Duchamp, *Duchamp du signe*, ed. Michel Sanouillet, Flammarion, Paris, 1975, p.247.（マルセル・デュシャン『マルセル・デュシャン全著作』ミシェル・サヌイエ編、北山研二訳、未知谷、一九九五年、三六八頁。）

（五）　Pierre Bourdieu, *Raisons pratiques*, Seuil, Paris, p.69.（ピエール・ブルデュー『実践理性──行動の理論について』加藤晴久・石井洋二郎・三浦信孝・安田尚訳、藤原書店、二〇〇七年、八五頁。）

（六）　ポール・ドゥヴォトールとチェ・ヨンジャはコンテンポラリー・アートにおける創造の問題に対する一つ

の回答として、自らを「コレクター」ないし「オペレーター」として位置づけて芸術的実践に取り組んだ。彼らは複数のアーティストたち（実在しているのか架空の存在であるかは明らかにされていない）の展覧会を企画し、作品を売買し、批評を書いた。そのうちの一つが匿名のアーティストたちによるグループ、セルクル・ラモ・ナッシュ（一九八七年にニースにて活動を開始）である。彼らはアーティストやその制作行為を「オープンなシステム」と呼び、その過程を多数のダイアグラムに表した。

（七）　この主張についてはブルデュー『実践理性』の第三章「作品科学のために」を参照のこと。

（八）　可用性（disponibilité）は常に誰にでも利用出来る状態、誰にも占有されておらず、一般的な意味で資本化もされていない状態を指す。「待機性」ないしは「流動性」とも。

（九）　ベン・キンモントが一九九五年に開始した一連のプロジェクト。いくつかのバリエーションがある。一例として、キンモントは、ランチタイムのレストランのキッチンで、来店客が食事をした後の汚れた皿を洗い、食事をした客はその様子やキンモントとのやり取りをヴィデオで撮影し（何人かは皿洗いを手伝い）、キンモントの腕に署名を書き入れた。

（一〇）　一九九四年にフィリップ・パレーノはリアム・ギリックらに、あるパーティの構想を口頭で話し、一九九五年にそれを書き起こして《スノー・ダンシング》のタイトルで出版した。その後コンソーシアム・ディジョンに数百人を招いて、この構想は実現されることになった。パーティに招待された観客には底に文字が刻印された靴が配られ、柔らかい素材で覆われた床に足跡＝言葉が残されることとなった。後日その痕跡はガラスでキャスティングされ、彫刻作品になった。このパーティ＝展覧会は出版された《スノー・ダンシング》を始めから終わりまで朗読する間だけ続いた。パレーノにとってこの展覧会は時間の建築であり、テキストは空間を現出させるための譜面の役割を果たすものであった。

（一一）　ダグラス・ゴードンはローマのカフェの公衆電話に電話をかける。仕掛け人であるカフェのマスターが、見ず知らずの人物にその電話を取り次ぐ。ゴードンはその人物に対して、あるメッセージ（「あなたの愛を隠し通すことはできない」）を伝える。メッセージを聞いた人々はそれぞれの状況（後ろ暗いところがあるか、まったく身に覚えがないか、ゲームのように出来事を楽しむか）によって異なる反応を見せることになる。

（一二）　街角の風景とそこに居る人物を一緒に写真に収め、大きく引き延ばしてポスターを制作し、撮影されたのと同じ場所に掲示するシリーズ作品（«Steel Street/Slater Street»）。

（一三）　コルビュジエ設計の集合住宅「ユニテ・ダビタシオン」（フィルミニ）を舞台に開催されたアート・プロジェクト。一九六七年にユース・センターや競技場、教会などを含むより大きな都市計画の一環として完成した「ユニテ」は、急激な産業化に対応するための住環境の整備として先駆的な計画であったが、その後の不況の影響もあり、一九九〇年代には半数が空き部屋になっていた。プロジェクトを組織したのはフランス人キュレーターのイヴ・オウプティタロ。参加アーティストは一年前から「ユニテ」および周辺の街区に実際に足を運び、リサーチを重ねた。

（一四）　ピエール・ブルデューは、アートの世界を象徴資本の流通によって成立する象徴経済の世界とみなした。この象徴経済の世界は、非経済的であることによってその経済的利益が最大化されるという両義性を抱えている。例えばアーティストは経済的利益に反した行動を取る（経済的世界における「狂気」）ことで、その創造の神聖さを証明（文化的価値の最大化）する。つまりアーティストの一見経済的に非合理的に見えるふるまいは、経済的利益を最大化するための合理的な選択なのだ、というのである。ブルデューはこうした象徴経済の世界を宗教事業体にも認め、その中で信者／顧客という両義的存在が生産されていると見なした。ここでブリオーが顧客という言葉を使用しているのは、「創造」のイデオロギーによってしばしば隠蔽されている、アートの象徴経済を支える両義性を明らかに示すことが、一九九〇年代のアートの、つまりリレーショナル・アートの特性の一つであると考えるからだろう。こうした議論については第三章で展開される「透明性」をめぐる記述も参考にされたい。また、ブルデューの記述については、『実践理性』の第六章「象徴財の経済学」を参照のこと。

（一五）　ファブリス・イベールは一九九一年から《機能する事物のプロトタイプ》（ＰＯＦ（Prototype d'Objet en

Fonctionnement)）の制作に取り組んでいる。さまざまな工業製品の組み合わせからなるこのシリーズは、鑑賞対象としての芸術作品を意図するものではなく、利用されることによって観客の行動を誘発することを意図するものである。ＰＯＦは元々の製品の機能を脱臼されており、観客の試用を通じて実験的にその機能を回復するのである。ＵＲはＰＯＦの流通を目的にイベールが設立した会社である。

第三章

（一）　ウォーホルはコカ・コーラの瓶を描いた二枚の絵画（一つは抽象表現主義風のタッチで描かれたもの、もう一つは「素っ気なく」白黒で描かれたもの）をエミール・デ・アントニオに見せた際のやり取りについて書き残している。二つの作品を見比べたデ・アントニオは前者を「くそ」と呼び、後者を我々の世界そのものを描いた「美しい」作品と賞賛した。当時のウォーホルは、画家の手業の痕跡を排除した「ハード」で「ノー・コメント」な描き方を「本能的に」求めていたが確信は持っていなかったという。（Andy Warhol and Pat Hackett, *Popism: The Warhol Sixties*, Harvest, New York, 1990, pp. 5-7.）

（二）　この講演は、一九五七年にヒューストンで開催されたアメリカ芸術連盟総会において、もともと英語で行われた。そのため英語タイトルに基づいて翻訳すると「創造（的な）行為」［Creative Act］となるが、本書では事後にデュシャン自身によってフランス語に翻訳された際のタイトル（Le processus créatif）に基づいて「創造過程」と訳出した。

（三）　英語版では次のような記述になっている——「我々はもはや対立や衝突によっても、新しい組み合わせの創出や、独立したさまざまなまとまりのあいだに可能な関係を作り出し、さまざまなパートナーとの同盟を築くことによっても、進歩を求めることはないのである」。

（四）　コンセプチュアル・アートの管理主義的合理性（合法性）についてはベンジャミン・ブクロー「管理主義的な美学から制度的な批評へ」（Benjamin H. D. Buchloh, «From the Aesthetic of Administration to Institutional Critique

(Some aspects of Conceptual Art 1962-1969) », in cat. *L'art conceptuel, une perspective*, ed. Museé d'art moderne de la Ville de Paris, 1989.）を参照のこと。

第四章

（一）　*Felix Gonzalez-Torres*, ed. Nancy Spector, cat. du Guggenheim Museum, 1995, p.167.

（二）　ゴンザレス＝トレスは、ロバート・ストウとのインタビュー「スパイになること」（Interview with Felix Gonzales-Torres by Robert Storr, «Being a Spy», *art press*, 198, January 1995, pp.24-32.）の中で、ハーシュホーン美術館での個展（一九九四年）のオープニングに、ホモフォビアで芸術支援に反対していることで知られるスティーヴンス上院議員が来場することを知らされた時のことについて話している。発言の要約は次のとおりである――「展示を見たスティーヴンス議員は戸惑うだろう。彼が期待していたような互いの性器をなめ合う男たちも、肛門に異物を挿入する写真も見当たらないだろうから。二つ並んだまったく同じ時間を指す時計や積み重ねられた紙を見て、彼はホモセクシュアリティを示すイメージを見出さなければならない。ゲイの権利を声高に叫ぶ表現を用いるのとは異なる戦略を取ることで、我々の存在について考慮せざるを得なくさせるのだ」。

（三）　ヴァルター・ベンヤミン「複製技術時代の芸術作品」、浅井健二郎編訳『ベンヤミン・コレクションⅠ』、ちくま学芸文庫、一九九五年、五九二頁。

（四）　《観客のボキャブラリーに向けて》は、「1984 Miss General Idea Pageant」の観客のためのリハーサルである。ステージ上に客席がつくられ、そこに「観客」（トロントのアート関係者が集められた）が座り、未来のショーの進行の説明を受けながら、ジェネラル・アイディアのメンバーの合図にしたがいあらかじめ決められた行動＝ボキャブラリー（笑う、拍手する、スタンディング・オベーションなど）を取る。本来の客席には本物の観客が座りその様子を見る。はじめ本物の観客たちは自分たちが振る舞うべき行動がステージ上の「観客＝演者」によって見せられているため、どう振る舞えば良いのか分からず戸惑っていたが、リハーサルが進んでいったとき、ステージ上の「観客＝演者」のスタンディング・オベーションに合わせて本物の観客もスタンディング・オベーションを返したのである。この作品はＴＶ番組として撮影され放送された。

（五）　ダントーは彼の論考「アートワールド」で次のように述べている。「あるものを芸術と見ることは、目が見分けることができないあるものを要求する——それは、芸術理論が作り出す雰囲気であり、美術史の知識である。つまりそれは、アートワールドである」。（アーサー・ダントー「アートワールド」西村清和訳、『分析美学基本論文集』西村清和編・監訳、勁草書房、二〇一五年、二二頁。）また、ジョージ・ディッキーはこのダントーの記述について、「『目が見分けることができないもの』と［……］雰囲気や歴史に言及することで、［……］ダントーは個々の芸術作品がその中に埋め込まれている豊かな構造に注意を促している。彼が指差しているのは、芸術の制度的本性なのである」と指摘し、続けて「私はダントーの『アートワールド』という用語を、個々の芸術作品がそれぞれの位置を占める広範な社会制度を指し示すために使用したい」と述べている。（ジョージ・ディッキー「芸術とは何か——制度的分析」今井晋訳、『分析美学基本論文集』西村清和編・監訳、勁草書房、二〇一五年、四三頁。）

第五章

（一）　クレメント・グリーンバーグの「モダニズムの起源」および「アヴァンギャルドとキッチュ」についての言及であろう。どちらの論考も『グリーンバーグ批評選集』（藤枝晃雄編訳、勁草書房、二〇〇五年）所収。

（二）　Mechanical Art の略。一九六〇年代前半、主にフランスとイタリアでジャンニ・ベルトーニ、アラン・ジャケ、ミンモ・ロッテラらに加え批評家のピエール・レスタニーを中心に展開された運動。この名称は、彼らが機械的複製技術に注目し、モンタージュやコラージュなどの技法を多用していたことに由来する。ヌーヴォー・レアリスムの前史とも言える動向である。

（三）　商品や製品などの消費財を生産するための資本となる財のこと。機械、建物、道具から原材料に至るまで、消費財（最終財）の生産に先行する労働によって生産された幅広い財を含む。

（四）　「トラフィック」展のカタログによれば、この作品のタイトルは「製造ライン」［L'établi］とされている。一九九五年のケルンのシッパー・アンド・クローム（現在はベルリンに移転）での展示の際には「ワークテーブル（五月一日製造）」［Werktische (Made on the First of May)］と題されていた。また、同カタログやその他の資料によると、本作の形式は次のようなもののようだ。展覧会の公開に先立って、十二の人々が、五月一日のメーデーにギャラリー（祝日のため閉廊している）に招かれる。招待された人々は、「初めての秘密」というクマのぬいぐるみのおもちゃ（胸に「My first secret」の文字がプリントされたTシャツを着せられている）を流れ作業で制作するワークショップに参加する。ぬいぐるみには音声を録音・再生できるチップを内蔵して、ぬいぐるみの購入者（通常、子供たちが想定されている）が、自分の声（秘密）を録音して、再生ができる仕組みになっている。このチップには、チップを製作した韓国の工場労働者がテスト用に録音した音声が残されている。作業の様子は映像で記録された。展示の際には二つの丸テーブルと数脚の椅子、モニターに、展覧会タイトルがプリントされた大きなTシャツが設置された。丸テーブルの一つにはワークショップで製作されたぬいぐるみが円形に並べられていて、何体かはモニターを眺める位置に置かれた。モニターではワークショップ時に撮影された、ぬいぐるみの製造工程の様子が記録された映像が映し出されている。こうした構成によって、本作は、ぬいぐるみという商品（作品）の制作プロセスを見る／体験することを通じて、余暇（鑑賞）と労働（制作）をめぐる「秘密」の関係についての考察を促していると言えるだろう。

（五）　小アジアのヘラクレイアに生まれ、前五世紀頃に活躍した画家。大プリニウスの『博物誌』によれば、写実的な技法に優れ、彼が描いたブドウの絵には鳥がついばみにやってくるほどであったという。同時代の画家パラシオスとの腕くらべの逸話で知られる。

（六）　一九九一年三月三日、仮釈放中のロドニー・キング（当時二十六歳）はスピード違反を犯した際に逃亡。警官に追跡された末に捕まり、白人とヒスパニック系を含む複数の警官に激しい暴行を受けた。この様子は近隣住民によって撮影されており、映像はニュースを通じて全米に放送された。しかし裁判ではヴィデオに映る警官たちの主張（キングの激しい抵抗にあったため道具を使って制圧するほかなかった）が全面的に認められ、一九九二年四月二十九日に陪審員（黒人は含まれなかった）は無罪評決を下した。この結果がロサンゼルス暴動の引き金の一つになったと見られている。

（七）　カーレド・ケルカル（Khaled Kelkal）はアルジェリア移民で、フランスで教育を受けた武装イスラム集団（Groupe Islamique Armé）のメンバー。一九九五年に起きた一連のテロ行為に関与した。ケルカルの射殺の瞬間はテレビカメラに収められており、警官たちの行動が議論を呼んだ。カメラは足を撃たれ動けない状態になったケルカルを、「殺せ！　殺せ！」と叫びながら射殺する警官たちの姿を捉えていた。

第六章

（一）　本書中で用いられる「主体性（subjectivité）」はガタリの用法に従う。ガタリ『分子革命』英語版に付された語彙解説（以後この語彙解説を参照した場合、ガタリ『分子革命』語彙解説と略記）では次のように解説されている――「主体性は即自的なものでも不変のものでもない。あれやこれやの性質をもつ主体性は、ある言表行為のアレンジメントがそれを生産するかどうかに応じて、存在するかしないかが決まるのである（例えば近代資本主義はメディアや公的な生産設備を通じて、新しい種類の主体性を大規模に生産している）。したがって個人化された主体性の背後ではたらく現実の主体化の過程を見極めることが重要である」。また、ガタリにとって主体性とは芸術作品のように特異に造形され創造されるものでもある。一方でブリオーは、ガタリのいう「主体性の生産」や「主体化」の作用およびそのプロセスが、現代の美的対象の編成と類比的な関係にあると考えている。

（二）　ここで「ソーシャル・アート」として言及されているのは、例えば安定的にコード化された理想の社会を目指して、メディアによって再生産される「社会問題」を解決しようとする、あるいはそれを表象するようなアートである。こうした芸術的実践においては回復されるべき一つの理想的な社会があらかじめ前提とされる。

（三）　フランスでは一九九五年、ミッテランによる左派政権に代わって右派のジャック・シラクが大統領の座に就いた。シラクはまず、長きに渡った左派政権時代の社会保障システム改革を目指した。シラクに指名された首相のアラン・ジュペは、手始めに公務員の年金制度改革を含む社会保障改革案を同年十一月十五日に提出した。それに対し、十一月二十四日、フランス国鉄（SNCF）を皮切りに、メトロ・路線バス・RERなどを運営するパリ交通公団（RATP）、フランス電力公社（EDF）およびガス公社（GDF）、電気通信事業者のフランス・テレコム、ラ・ポスト（フランス郵政公社）の労働者（公務員や準公務員）たちが同調してストライキを行った。彼らの争議によって、とりわけパリを含むイル＝ド＝フランス地域圏の市民たちは主だった通勤手段を失い、その代わりに増加した自動車によって道路は渋滞、結果市民は徒歩での移動を強いられることとなった。ストライキは社会に大きな混乱をもたらしたが、それに対する支援は徐々に民間企業の労働者にも広がり、学生・知識人・失業者も活動に加わった。市民の過半数はこれを支持し（CSAの調査によれば五四％のパリ市民がストライキを支持したと言う）、月が変わった十二月五日には全国各地で総計数十万人（警察発表では五十二万人、主催者発表では八十万人）が参加してストライキ支持のデモが開催された。ストライキの長期化によって市民は鉄道やバスに変わる交通手段、すなわち水上バスや自転車、ローラースケート、そして自家用車をシェアする「相乗り自動車」など、さまざまな方法を見出した。この争議の特徴は幅広い階層の「連帯と支持」にあり、それ以前の労働争議とは異なり「祝祭的」な様相を呈していたとも言われている。その様子はテレビ局のニュース映像やマグナム・フォトのパトリック・ザックマンが撮影した写真に収められた。それらを含む印象的な動画や画像は、例えば「Paris grève 1995」などを検索ワードとすると、インターネット上に数多く見つけることができる。

（四）　Guy Debord, *La Société du Spectacle*, Éditions Champ Libre, Paris, 1971, p.10.（ギー・ドゥボール『スペクタクルの社会』木下誠訳、ちくま学芸文庫、二〇〇三年、一五頁。）

（五）　Debord, *La Société du Spectacle*, p.101.（ドゥボール『スペクタクルの社会』、一四二頁。）

（六）　Debord, *La Société du Spectacle*, p.104.（ドゥボール『スペクタクルの社会』、一四五頁。）

（七）　Félix Guattari, *Chaosmose*, Galilée, Paris, 1992, p.181.（フェリックス・ガタリ『カオスモーズ』宮林寛・小沢秋広訳、河出書房新社、二〇〇四年、二〇七頁。）

（八）　「アレンジメント（agencement）」はフェリックス・ガタリ独自の概念。「フロイトのコンプレックスという概念を置き換える」もので、「生物学的、社会学的、機械的、認識形而上学的、想像的な異種混交的な諸要素」からなる、「構造、システム、形式、過程などよりもより幅広い概念」である（ガタリ『分子革命』語彙解説より）。

（九）　ガタリは五〇年代半ばから一九九二年に没するまで、精神科医ジャン・ウリが一九五三年にクル・シュヴェルニ近郊に設立した、ラ・ボルド病院で臨床医として勤務した。

（一〇）　「物質的・記号的な流れは主体や対象に先だって存在する。したがって欲望や流れの経済は本来的に主体的なものでも表象的なものでもない」（ガタリ『分子革命』語彙解説）。芸術作品を集合的に生産されるものととらえるブリオーにとって、作品を特徴付けるような特定の要素は、作者を同定するスタイルに由来するものではなく、それに先行する「流れ」が生み出すものであるということだろう。

（一一）　ガタリの用いる「機械」は単に技術的な機械を指しているのではなく、「理論的、社会的、美的機械」なども含んでいる。「機械」はそれ自体の内部に自閉して作動するのではなく、外部の異質な流れを集合的に編成しながら新たな可能性を産出し、選択する。また「機械（machine）」は「機械仕掛け（méchanique）」から区別される。後者の外部の流れとの関係は完全にコード化されたものに留まるのである（ガタリ『分子革命』語彙解説より）。

（一二）　ガタリの「領土」は物理的な土地を指しているのではなく、「主体が「わが家のように居心地よく」感じる体験的な空間とか、そのように知覚されたシステムに関係するもの」である。領土は解体しうる（「脱領土化しうる」）ものであり、その後再構成しうる（「再領土化」しうる）ものである。ガタリは資本主義を、脱領土化と（あらかじめコード化された）再領土化の運動の好例として挙げている（ガタリ『分子革命』語彙解説）。一方でブリオーはアートに、資本主義の脱領土化と再領土化の運動を（単に否定するのではなく）再特異化する可能性を見出しているようだ。

（一三）「公的な生産設備」（équipements collectifs）は、規範化し制度化した諸機械の総体である。

（一四）Guattari, *Chaosmose*, p.15.（ガタリ『カオスモーズ』、一二頁。）

（一五）Guattari, *Chaosmose*, p.15.（ガタリ『カオスモーズ』、一二頁。）

（一六）Guattari, *Chaosmose*, pp.15-16.（ガタリ『カオスモーズ』、一二頁。）引用はブリオーによって変更が加えられており、文脈を考慮し、翻訳は引用に基づいた。

（一七）これについてガタリは次のように記述している――「精神的エコゾフィーは、身体や幻想、過ぎゆく時間、生と死の「神秘」などに対する主体（シュジェ）の関係を再創造する方向に向かわなければならない。それはマスメディアや情報通信の画一的傾向、流行に対する順応主義、広告や各種の調査による世論操作などに対する解毒剤の役目をになわなければなるまい。精神的エコゾフィーの実行方法は、古ぼけた科学的学問性の理念にあいもかわらず取りつかれている「心理学（プシ）」の専門家の方法よりも、一般に芸術家のとる方法にはるかに近いものとなるだろう」。Felix Guattari, *Les trois écologies*, Galilée, Paris, 1989, pp.22-23.（フェリックス・ガタリ『三つのエコロジー』杉村昌昭訳、平凡社ライブラリー、二〇〇八年、一九―二〇頁。）

（一八）ロジェ・カイヨワの著作のタイトルで、『自然と美学――形体・美・芸術』（山口三夫訳、法政大学出版局、一九七二年）として邦訳が刊行されている。

（一九）Guattari, *Chaosmose*, pp.138-139.（ガタリ『カオスモーズ』、一五八―一五九頁。）

（二〇）Guattari, *Chaosmose*, p.40.（ガタリ『カオスモーズ』、四〇頁。）

（二一）「国境を貫通しつつ世界レヴェルで絶えず加速を強めて行く国際的経済関係、およびそのプロセスを多中心的で厳格な計画経済化で置き換えてゆく企図。世界市場の統一性を取り戻し活性化するために、それを反国家的性格を帯びた生産計画制、通貨コントロール、政治的方向規定に従属させてゆく支配下のこの形象を、われわれは統合された世界的資本主義（C.M.I）と呼ぼう」（フェリックス・ガタリ&トニ・ネグリ『自由の新たな空間——闘争機械』丹生谷貴志訳、朝日出版社、一九八六年、六二頁）。

（二二）Guattari, *Chaosmose*, p.23.（ガタリ『カオスモーズ』、二〇頁。）

（二三）Guattari, *Chaosmose*, p.24.（ガタリ『カオスモーズ』、二一頁。）

（二四）反復を意味する語で、音楽用語としては繰り返し演奏される短い主題を指す。ガタリ（とドゥルーズ）は『千のプラトー』の中で、リトルネロについて次のように書いている——「リトルネロとはテリトリーを示すものであり、領土性のアレンジメントだということ。鳥は歌をうたうことによって自分のテリトリーを示す……。〔……〕恋愛の機能、職業的な、あるいは社会的な機能、さらに典礼や宇宙に関する機能など、どれをとってみても、リトルネロは必ず大地の一部をともない、たとえそれが精神的な意味の大地であったとしても、常に一つの大地を相伴物としてもつ」（ジル・ドゥルーズ／フェリックス・ガタリ『千のプラトー』宇野邦一・小沢秋広・田中敏彦・豊崎光一・宮林寛・守中高明訳、河出書房新社、一九九四年、三六一頁）。リトルネロとはカオスの中にあってカオスに対抗する力であり、カオスから表現への移行（ブリオーはこれを芸術作品の意味の生産の契機ととらえている）を可能にする機能を果たすものである。

（二五）Guattari, *Chaosmose*, pp.32-33.（ガタリ『カオスモーズ』、三〇—三一頁。）

（二六）Guattari, *Chaosmose*, p.33.（ガタリ『カオスモーズ』、三一頁。）

（二七）Guattari, *Chaosmose*, p.45.（ガタリ『カオスモーズ』、四六頁。）引用はブリオーによって変更が加えられているが、文脈を考慮し、翻訳は原文に基づいた。

（二八）Guattari, *Chaosmose*, p.27.（ガタリ『カオスモーズ』、二五頁。）

（二九）Guattari, *Chaosmose*, p.35.（ガタリ『カオスモーズ』、三四頁。）

（三〇）Guattari, *Chaosmose*, p.35.（ガタリ『カオスモーズ』、三四頁。）引用はブリオーによって変更が加えられており、文脈を考慮し、翻訳はブリオーの引用に基づいた。

（三一） Guattari, *Chaosmose*, p.44.（ガタリ『カオスモーズ』、四五頁。）

（三二） Guattari, *Chaosmose*, p.182.（ガタリ『カオスモーズ』、二〇八頁。）

（三三） Guattari, *Chaosmose*, p.44.（ガタリ『カオスモーズ』、四五頁。）

（三四） Guattari, *Chaosmose*, p.44.（ガタリ『カオスモーズ』、四五頁。）

（三五） Guattari, *Chaosmose*, p.28.（ガタリ『カオスモーズ』、二七頁。）

（三六） Marcel Duchamp, «Le processus créatif», *Duchamp du Signe*, Flammarion, Paris, 1994, p.189.（マルセル・デュシャン「創造過程」、ミシェル・サヌイエ編『マルセル・デュシャン全著作』、北山研二訳、未知谷、一九九五年、二八五頁。）

（三七） Duchamp, «Le processus créatif», *Duchamp du Signe*, p.188.（デュシャン「創造過程」、二八五頁。）

（三八） Duchamp, «Le processus créatif», *Duchamp du Signe*, p.188.（デュシャン「創造過程」、二八四頁。）

（三九） これについては、ガタリ『カオスモーズ』二五—二八頁を参照のこと。

（四〇） Guattari, *Chaosmose*, p.27.（ガタリ『カオスモーズ』、二五頁。）

（四一） Guattari, *Chaosmose*, p.183.（ガタリ『カオスモーズ』、二〇九頁。）

（四二） Guattari, *Chaosmose*, p.139.（ガタリ『カオスモーズ』、一五九頁。）

（四三） Guattari, *Chaosmose*, p.139.（ガタリ『カオスモーズ』、一五九頁。）

（四四） Guattari, *Chaosmose*, p.139.（ガタリ『カオスモーズ』、一五九—一六〇頁。）

（四五） Guattari, *Chaosmose*, p.31.（ガタリ『カオスモーズ』、三〇頁。）

（四六） Guattari, *Chaosmose*, p.187.（ガタリ『カオスモーズ』、二一二頁。）

語彙解説

（一） Samuel Beckett, *La peinture des van Velde ou le Monde et le Pantalon, Disjecta : Miscellaneous Writings and a Dramatic Fragment*, Grove Press, New York, 1984, p. 122. 引用はブリオーによって変更が加えられているが、文脈を

考慮し、翻訳は原文に基づいた。

（二）　ニコラ・ブリオー「記号間旅行者のための短いマニフェスト」（Nicolas Bourriaud, «Petit manifeste sémionaute», *Technikart*, n°47, Novembre 2000, p. 34）を参照のこと。記号間旅行者［sémionaute］はブリオーによる造語。

（三）　ミシェル・フーコー「ドゥルーズ＝ガタリ『アンチ・オイディプス』への序文」松浦寿輝訳、小林康夫・石田英敬・松浦寿輝編『フーコー・コレクション6　生政治・統治』、ちくま学芸文庫、二〇〇六年、一六二頁。

（四）　ジョゼフ・コスース「哲学以後の芸術」水沼啓和訳、水沼啓和・吉原美恵子編『ジョゼフ・コスース　一九六五―一九九九　訪問者と外国人、孤立の時代』展カタログ、千葉市美術館／徳島県立近代美術館、四八―八一頁。

索引

あ行

か行

さ行

た行

な行

は行

ま行

訳者あとがき

本書は Nicolas Bourriaud, *Esthétique relationnelle*, Dijon, Les presses du réel, 1998 の全訳である。本書の構成について付言しておこう。序文から第三章までは『アートに関する記録』第七号所収の「ある関係性の美学のために」(一九九五年)および同誌第八号所収の「関係性の美学(第二部)」(一九九六年)、そして「トラフィック」展カタログ所収の「関係性の美学序論」(一九九六年)の大幅な改稿・再編成である。第五章は第三回リヨン・ビエンナーレのカタログ(一九九五年)所収の論考を、そして第六章の後半部は『キメラ』第二一号掲載の論文「美的パラダイム」(一九九三年)をほぼそのまま使用している。残りの第四章と第六章の前半部は書き下ろしである。

＊

タイトルの訳としては、原語タイトルの意味に近い「関係的美学」もしくは、「関係美学」とすることも考慮したが、読者の混乱を避けるために、すでに広く言及されている「関係性の美学」を採用した。一方で本文中に登場するrelationnelleは、明確に本書のタイトルもしくはその概念を指している場合を除き、多くの箇所で「関係的」と訳出した。

＊

著者のニコラ・ブリオー（Bourriaud）の表記については「ブリオ」が本来の発音に近いが、本書ではすでに慣例となっている表記を採用する。これは本書中で言及されるその他の固有名詞の日本語表記についても同様とする）の経歴（特に初期の）については、包括的に書かれたものが存在していないため、本書の理解の一助として、以下に著作、雑誌インタビュー、インターネットなどさまざまなソースから断片的に集めた情報をまとめて記載する。

ブリオーは一九六五年生まれ、出生地は公表されていないようだ。アート・コミュニケーションや文化産業のマネジメントの専門的教育機関であるICARTを卒業後すぐ、一九八〇年代後半から展覧会評や美術批評などを複数の雑誌に定期的に寄稿し始める。

一九九〇年、第四四回ヴェネツィア・ビエンナーレのフランス館の展示として「静止した短編映画」展を企画、続く第四五回ヴェネツィア・ビエンナーレ（一九九三年）にも「アペルト93」のキュレーターの一員として関わった。一九九二年にはアート雑誌『アートに関する記録』をエリック・トロンシー、フィリップ・パレーノ、リアム・ギリックと共同で創刊し、編集長となる。一九九三年、ジル・ドゥルーズとフェリックス・ガタリが創刊し、ステファヌ・ナドーが編集長を務める批評誌『キメラ』第二一号に「美的パラダイム」（本書第六章の後半部分として所収）を寄稿。一九九五年には文芸批評誌『批評直交［Revue Perpendiculaire］』を共同で創刊した。同誌はブリオーを含む創刊メンバーと、編集委員の一人であったミシェル・ウェルベックとの間で、ウェルベックの小説『素粒子』の出版をめぐる政治的論争により、一九九八年で終刊となった。文学との関わりでいうと、ブリオーは一九九七年に、小説『第三紀［L'Ère tertiaire］』を上梓している。一九九五年のインタビュー「アートの流動性」では、当時のブリオーは、批評家、キュレーター、雑誌企画・編集者に加え、ラジオなどのコメンテーターを務めるなど積極的にマスメディアと関わりながら、ジャーナリストとしての顔ももっていたことについての言及がある。

一九九六年には「トラフィック」展（ＣＡＰＣボルドー）を企画。同展はそれまでにブリオーが関わってきた新しい世代のアーティストが一同に会した、本書とつながりの深い展覧会であった。

二〇〇〇年、三十五歳でジェローム・サンスと共にパレ・ド・トーキョーの共同館長に就任。パレ・ド・トーキョーはコンテンポラリー・アートに特化した展示の場であると同時にカフェやラウンジを備え、「パヴィリオン」と名づけられたアーティスト・イン・レジデンス・プログラムを持ち、開館時間は正午から二十四時に設定されるなど、ブリオーとサンスが隅々まで自分たちのコンセプトを行き渡らせた、公立機関としては破格のアート・センターであった。同館では、「プレイリスト［Playlist］」展や「ＧＮＳ（Global Navigation System）」展などを企画した。

二〇〇六年に同館長職を退いた後、二〇〇八年から二〇一〇年までテート美術館グルベンキアン・キュレーター（スポンサーの名前を冠したポスト）となり、その間に第五回テート・トリエンナーレ「オルターモダン［Altermodern］」を企画する。それまでテート・トリエンナーレはイギリス国内在住のアーティストのみを対象としていたが、ブリオーはその枠を撤廃し、居住国に関係なく参加アーティストを選定した。

その後、いったんフランス文化・コミュニケーション省の職員となり、二〇一一年にエコール・デ・ボザールの学長に就任。就任後は大学の文化プログラムの核として「歴史の天使［l'ange de l'histoire］」展や「クックブック――調理法とその手順［Cook Book – L'art et le Processus Culinaire］」展といった意欲的な展覧会を実施し、十九世紀に建てられたアンフィシアターの改築のため、ラルフ・ローレンから一五〇万ドルの寄付を取り付けるなど、教育普及のみならず財政面でも精力的に大学改革に着手しており、学内守旧派との対立が新聞などで報じられてもいる（二〇一五年七月一日付で同職を解任された）。

二〇一六年二月にはモンペリエ現代アートセンター［MoCo (Montpellier Contemporain)］（二〇一九年に新規オープン）の館長に就任し、モンペリエ美術学校［École Supérieure des Beaux-Arts de Montpellier］とそれに付属するギャラリースペースのラ・パナセ［La Panacée］、新設される展示スペースのオテル・デ・コレクション［Hôtel des Collections］の活動を統括した。しかし、同センターの設立を推進した市長の交代に伴い、新市長との政治的緊張関係を経て、二〇二一年三月に同職を解任されている。

ディレクター職を歴任しながら、近年も精力的にキュレーターとして活動しており、二〇一四年には台北ビエンナーレ「グレート・アクセラレーション［The Great Acceleration］」を、二〇一九年には第一六回イスタンブール・ビエンナーレ「第七大陸［The Seventh Continent］」を監督し、二〇二二年四月には第五九回ベネツィア・ビエンナーレの関連展示として「プラネットB：崇高と気候危機［Planète B : Le sublime et la crise climatique］」展を企画した。この「プラネットB」展は、ブリオーが二〇二二年一月に立ち上げた、キュレーターたちによる協同組合「ラディカンツ」が手がけた最初の展覧会である。ラディカンツはブリオーを含めた十二名のキュレーターによるコレクティヴで、展覧会企画、出版、コンサルティングなどの活動を行い、パリに展覧会スペースを有しているという（詳細は https://radicants.com/ を参照のこと）。

＊

一九九七年、本書の刊行に直接つながることになった「トラフィック」展が開催される。その概要と反響について触れておこう。

「トラフィック」展の主催／会場は一九七三年に開館したＣＡＰＣボルドー。ブリオーはゲストキュレーターとして同展の企画を行った（ブリオーはＣＡＰＣボルドーには所属していない）。展覧会の会期は一九九六年一月二十六日―三月二十四日、参加アーティストは二十八組三十一名である。うち、ヴァネッサ・ビークロフト、ヘンリー・ボンド、アンジェラ・ブロック、ジェス・ブリンチ＋ヘンリック・プレンゲ・ヤコブセン、マウリツィオ・カテラン、リアム・ギリック、ドミニク・ゴンザレス＝フォルステル、ダグラス・ゴードン、イェンス・ハーニング、ローター・ヘンペル、クリスティーン・ヒル、平川典俊、カールステン・ヘラー、ピエール・ユイグ、ピーター・ランド、ミルトス・マネタス、ガブリエル・オロスコ、ホルヘ・パルド、フィリップ・パレーノ、ジェイソン・ローズ、リクリット・ティラヴァーニャ、ジリアン・ウェアリングについては本書中に言及があり、残るアンドレア・クラヴァデッチャー＆エリック・シューマッハ、オノレ・ドー、クリストファー・スペランディオ＆サイモン・グレナン、グザヴィエ・ヴェイヤン、ヤノベケンジは本書には登場していない。参加アーティストたちは全員一九六〇年から一九六九年の生まれであり、一九六五年生まれのブリオーとは同世代と言って良いだろう。

ＣＡＰＣボルドーでは本展と同時にマシュー・バーニーの個展と新収蔵作品展「緊急」[Urgence]が開催されており、三つの展覧会合同で三日間にわたる展覧会オープニングが催された。このオープニング期間中にはマシュー・バーニーのクレマスター・シリーズを含めた映像作品のスクリーニング・プログラムや、ピエール・ユイグのキャスティング・セッション、ボルドー市内のバス・ツアー、ドミニク・ゴンザレス＝フォルステルの自伝的ドローイング・セッション、グザヴィエ・ヴェイヤンのＤＪイヴェント、ヴァネッサ・ビークロフトのパフォーマンスに加えて、ワークショップやトークセッション、ラウンドテーブルなど多数のプログラムが実施された。

会場写真を見ると、個々の作品の間には仕切りや仮設壁のようなものは見当たらず、大きな空間の中に雑然と作品が配置され、動線などは設定されていないようだ。会場内には観客が炎を囲んで座る作品（グザヴィエ・ヴェイヤン）、展覧会場で生活するためのインスタレーション（ジェス・ブリンチ＋ヘンリック・プレンゲ・ヤコブセン）、ヤノベケンジのタンキング・マシーン、ダンボール製の椅子やテーブルが並んだ歓談スペース（リクリット・ティラヴァーニャ）などが並んでいる。これら会場内の関係にフォーカスした作品に加え、展覧会場とボルドー市内の移民たちが居住する地区に電話ボックスを設置し、通話できるようにした作品（平川典俊）、市内の複数の市民グループ（自殺願望のある人々の自助グループや街娼たちの支援グループなど）に関する情報や啓発資料の展示（ローター・ヘンペル）、市内の広場でアラビア語のジョークを放送するサウンド・インスタレーション（イェンス・ハーニング）、宇宙飛行士に向けた（と仮想した）ＴＶプログラムの放送（マウリツィオ・カテランとピエール・ユイグ）など、会場内とその外部との関係に基づく作品も展示された。

本展は九〇年代に登場した新世代のアーティストが一堂に介していることもあり、多くのジャーナリスティックな注目を集めたが、現時点で確認できるレビューは概ね否定的なニュアンスのものである。いくつか要約して紹介しよう。「美術館という聖域と、日常の往来との境界を曖昧なものにしようという試み。このような関係の実現について振り返ると、残念ながら参加者全員が最高の作品を提供したわけではなかったし、アーティストが提示したスキームは、良く言って効果の疑わしいものだった」(ジョルジョ・ヴェルゾッティ(*ARTFORUM*, May 1996))。「インタラクティヴィティという概念をあまりに広義に捉えれば、それは芸術作品の定義としてはあまり明晰なものとは言えない。インタラクティヴィティを主張する必要性に囚われ、いくつかの作品(特に映像作品と絵画)は、他の作品と必然的に「同化」しているように見えた。重厚な石造りの壁、印象的なアーチ、倉庫のような雰囲気が特徴のCAPCボルドーの大ホールは、展示の構成が難しく、作品が意図せず混ざり合って見え、結果として全体が混乱してしまった」(エミリー・ツィンゴウ(*Zing Magazine*, Autumn/Winter 1996-1997))。「生活を作品に取り込むことによって、芸術や芸術的慣習の空白が現出していた。この展覧会で多数見られる反形式的なスタイルは、低級な素材の使用、精巧な製作過程への無関心、最終的な成果物よりも提案の重視というものだ。関係的な芸術実践というコンセプトは、新しい芸術を定義するにはあまりに具体性に欠けていた。野心的な資金が投入された展覧会であったが、鑑賞者に提供できたのは、凡庸なオブジェやイメージの数々だけであった。ブリオーは、彼自身が提唱する、人間関係の空間の社会的・政治的な決定要因が何であるかについて検討する必要があるだろう」（カール・フリードマン（*frieze Issue* 28, September 5, 1996)）。

同展の参加作家であったリアム・ギリックは、「いくつかの付帯的な事実」〔Liam Gillick, *Contingent Factors : A Response to Claire Bishop's "Antagonism and Relational Aesthetics"*, October, no.115, Winter 2006, pp.95-106〕と題されたテキストのなかで、「トラフィック」展から本書成立に至る経緯について簡潔に語っている。それによれば、展覧会を主催したＣＡＰＣボルドーは、プレスリリースで同展を「インタラクティヴ・バロック・コンセプチュアリズム」の展覧会として広報した（この表現はギリックが皮肉混じりにプレスリリースを要約したものだが、実際も「インターネット、インフォバーン、そしてますます洗練されたビデオゲームの登場により、インタラクティヴは今や私たちの文化に不可欠な要素となっている。アートにおいては、インタラクティヴなプロセスの探求、ユーザーフレンドリーな空間の創造、そして人間間の関係のメカニズムが、一九九〇年代の重要なテーマとなった」と、プレス・リリースは、冒頭からインタラクティヴな要素を強調していた）。その結果、展覧会で思い通りにインタラクションを行えなかった観客たちと、作品の意図を誤解され、さらに破壊さえされたアーティストたちの双方から攻撃され、ブリオーは彼の企画した展覧会に参加したアーティストたちの作品について、キュレーターとしてではなく、より理論的な立場から、彼らの作品の意義について明らかにするよう迫られたということだ。

実際のところ、ブリオーは遅くとも一九九三年頃には「関係性の美学」につながる構想を形にしており、「トラフィック」展の反応を受けて初めて本書の構想が生まれたというわけではないだろう。しかし、断片的に発表されていたテキストをまとめ、補足を加えながら、より具体的に（第四章としてフェリックス・ゴンザレス゠トレス論が書き下ろされているという事実は、リレーショナル・アートおよび関係性の美学の具体例として、より詳細な作品分析が求められたことへの対応であろう）九〇年代のアーティストたちの作品とその意義について論じる書物の形成のきっかけの一つに、観客、アーティスト、メディアからの現実的な要請に対する応答という意図があったことは記憶に留めておく意味があるだろう。

*

前項の通り、「トラフィック」展については、作品やそのコンセプトに対して多くの批判が向けられたが、本書「関係性の美学」はどのように評価されたのだろうか。フランス語で同書が出版されて以来、英語版を皮切りにスペイン語、ポルトガル語、中国語など数多くの言語に翻訳されたほか、欧米を中心とした美術系の大学などで教科書として使用されるなど、キュレーターやアーティスト、学生などを中心に好意的に受けとめられたようである。

しかし一方で、批評や理論的な著作においては、多数の厳しい批判に晒される事になった。日本語で読むことのできる主だったテキストとしては次のものがある：クレア・ビショップ「敵対と関係性の美学」（星野太訳、『表象05：特集ネゴシエーションとしてのアート』、七五―一一三頁、月曜社、二〇一一年）、ジャック・ランシエール「政治的芸術のパラドックス」（梶田裕訳、『解放された観客』六三―一〇六頁、法政大学出版局、二〇一三年）、星野太「ブリオー×ランシエール論争を読む」（筒井宏樹編『コンテンポラリー・アート・セオリー』三六―六九頁、イオスアートブックス、二〇一三年）、大森俊克「リアム・ギリックと「関係性の美学」（『美術手帖』、二〇一一年四月号、一一八―一三六頁）。本書の議論の補足として一読をお勧めしたい。

＊

本書の翻訳にあたっては、訳註や本文中に補足を入れることで、できるだけ著者の意図が伝わりやすくなるよう努めた。一方で、本書は、初出の時期や媒体が異なるテキストをまとめて構成されているため、章立てごとに論旨がまとまって展開されているわけではなく、連続性をもって記述されるべき論点や概念が、あまりにもさらりと、また断片的に書き付けられているように見える。率直に言って訳者自身も本書の議論の流れを把握するのに大いに苦労した。ここで、読者の理解を助けるため、本書の内容について訳者の視点から簡略にまとめておきたい。読後の内容整理のための補助として活用いただければと思う。

本書が執筆されるきっかけは、ブリオー自身の同世代（少し上の先行世代も含む）のアーティストたちによる、一定の傾向をもった作品、つまり「リレーショナル・アート」の誕生である。本書に従えば、こうした作品が生み出された背景には、主に三つの要因があるようだ。一つは第二次大戦後に加速度的に進行した都市化である。これによって人間相互の出会い状態が恒常化される環境的条件が用意された。これは同時に、都市空間のスペクタクル化をもたらした。もう一つは技術的革新による（テレ）コミュニケーション回路の高速化と多様化が挙げられる。ヴィデオ機器、ケーブルテレビ、そしてインターネットに代表されるコンピューターネットワークなどにより、距離や時間的な隔たりを超えて人間のコミュニケーションの総量が爆発的に増加し、そして相互化していった。最後にこれらの二つと並行して高まってきた文化的対象への介入の欲望がある。承認欲求に基づくこの欲望によって、特に音楽やポップ／サブカルチャーのジャンルで先行して、既存の作品へのパロディやリミックス、二次創作などがアンダーグラウンドからメインストリームへ侵出していった。加えて、フルクサスやハプニングといった、観客の参加を取り込んだ先行する芸術的実践も、マルセル・デュシャンの「芸術係数」という、芸術作品の共同制作者として観客を位置付ける概念と融合する相互性の文化の一端と見なされる。こうした状況的要因によって、人間同士の（相互）関係が物理的に可視化され、それらを素材として使用する芸術的実践が可能になった。しかし、美術史の自律的発展の中にリレーショナル・アートを位置付けようとする試みを退けるブリオーは、先行する芸術動向をリレーショナル・アートの源流と見なさない。上述のような歴史的変化を背景に現れた一九九〇年代の芸術的実践における観客の存在と、先行事例における観客の介入とは全く異なる思想に基づくと、ブリオーは考えている。

その思想について説得的に語るために用意されるのが、作品の関係的解釈を提供するための理論的ツールとしての「関係性の美学」である。「関係性の美学」は（形式の）理論であるので、単に「リレーショナル・アート」の解釈を提供するためのものではなく、「作品」の「形式」一般について適用されうるものでなければならない。そのためにブリオーは、美術史を様式史としてではなく、かなり簡略にではあるが、世界との関係の生産史に読み替え、その思想的ルーツを偶然の出会いによって世界が成立するとする「偶然の唯物論」や、マルクスの「形式論」に据える。

また、芸術作品一般が有する関係的な形式的特徴として、「移行性」と「透明性」という二つの性質を取り上げている。これらは、芸術作品の形式が人間の主体的な行為と関わるものであることを示すものとされる。「移行性」は、対話を通じて想像力や欲望を喚起し、作品と観客との関係を観客と世界との関係にまで拡張するという。また「透明性」は、「作品が、人間の制作行為の成果であることを明示する」。ここでの制作行為は、作品が展示会場で観客によって見られるその時点までの時間的なプロセスと見なされる。こうした性質をもつ、端的に言えば人間的な形式は、メディウムの自律性と純粋性に依拠するモダニズム的な形式の定義(非移行性の形式)の対極に位置するものである。ブリオーの形式の理論は、アートにおける形式の概念を欲望や感情の次元において再定義した、いわば倫理的なフォーマリズムと見なすこともできるだろう。

そのような形式が生み出すイメージ、あるいは空間とはどのように具現化されるのだろうか。絵画や彫刻といったメディウム・スペシフィックなカテゴリーを退けるブリオーは、それを「間隙」と表現する。「間隙」とは、一九九〇年代の社会から次第に失われつつあった、人間同士の交換＝取引を促す場として機能するという。リレーショナル・アートを準備したコミュニケーションの増殖と高速化は、人間関係の物象化を招き、コミュニケーションそれ自体の疎外（広告コミュニケーションやサーヴィス経済）に帰結していた。芸術作品は、こうした状況を迂回し、穴をあけるために「間隙」の空間を生み出す。余暇と労働という人間活動のカテゴリー的分割に抵抗し、疎外のコミュニケーションに直接的交換の熱を加えることで、芸術作品はその政治的なプロジェクトを展開しうるとブリオーは考えている。

しかし、「移行的」で「透明性」を有する形式の輪郭とはどのように描かれ、間隙が現出する場の基本的な単位はどのように定められるのか。ブリオーはそれを、作品が観客によって見られる場、つまり展覧会として設定する。展覧会は、美学的、制度的、文化的、地理（地政）学的、経済的な側面から、「共存の基準」に基づいて解釈しうる集合的な行為を通じて形成され、時空間的に（展示期間にわたって）持続する形式を現出させる場となる。

本書の締めくくりに、ブリオーはフェリックス・ガタリの著作からの多数の引用に基づいて、「主体性の生産」について述べる。リレーショナル・アートは、人間関係という地平において形成されるのだが、そこでいう「人間」の主体性についてもまた、自律的、統合的な存在ではないものと見なされる。主体性は、個人によって独占的に構成され、その中心に占有されるものではなく、他の主体性や様々な対象（機械や設備などと表現されるもの）との流動的な関係によって、つまり「人間集団、社会＝経済的機械、情報機械」の連合として編成されるものだとされる。だからこそ我々は、支配的・統合的なシステム（資本主義が名指されている）に囚われてしまわないよう、主体性を創造的に「獲得し、強化し、再発明する」方法を学ばなければならないということになる。芸術作品、とりわけ一九九〇年代の芸術的実践はそのための好適なツールを提供するものと捉えられる。なぜなら、それらの作品は、「主体性の実践」と類比的な軌跡をたどって、見るものの主体性と共に編成されるのだから。こうした「美的パラダイム」の思想を介して、ブリオーは芸術作品もまた、芸術の領域というカテゴライズされた場や、アーティストという純粋な創造者に占有されるものではなく、中心を外れ、さまざまな領域や他の主体性が関わる集合的な生産によって生み出されるものとみなそうとしたのだろう。

＊

この文章は、「関係性の美学」出版から二十五年後の二〇二三年に書かれている。現在の私たちの目には、ブリオーがリレーショナル・アートの出現の背景として捉えた、当時現れつつあった、せいぜい兆候のような現象も、はっきりと、ほとんど文化的環境と言っていいところにま具現化したように映るのではないだろうか。双方向的な環境の発展によるコミュニケーションの物象化・スペクタクル化の帰結としてブリオーが名指した「エキストラの社会」の到来は、SNS上に溢れる同質的なイメージと、それらを生産するインフルエンサーと視聴者との間の、宗教的といっても良いような固化された関係に十分に反映されているだろう（インフルエンサーたちはクリエイターと呼ばれてさえいるのだ）。美的対象は、ますます芸術の領域外から、ファッションやプロダクトデザイン、ゲームや映画、映像配信などの娯楽産業、広報／広告などといった、マスプロダクション／マスメディアの領域から生み出されるようになっており、また、それぞれの領域を頻繁に行き来しながら制作するアーティストも数多く現れている。さらにこれからは、作品の創造過程への作者の介入を大量生産品から任意の一つを選択することにまで還元したデュシャンや、操作的パラダイム（操作的リアリズム）の元で実行されるべきプログラムとして作品を制作する一九九〇年代のアーティストたちにブリオーが見出した、オペレーターとしてのアーティストの姿は、生成ＡＩのような思考や創発性を支援する情報機械の誕生によって、ますますその数を増し、多様な現れを見せるようになっていくのだろう。現代の芸術作品は、支配的なシステムとの間の、ますます増殖し続ける混沌とした野蛮なトラフィックの中から生み出される。ブリオーは世界のカオスの只中にあるアートの働きを、〈解釈し、見極めること〉と説く。現代に生み出される、とらえがたい作品たちを、我々はどのように評価し、また批判するのだろうか。

＊

二〇一四年に開催された台北ビエンナーレ「グレート・アクセラレーション」（台北市立美術館）展のカタログに寄せられたテキスト「人新世の政治学：人間、もの、そしてコンテンポラリー・アートにおける物象化について」の中で、ブリオーは彼が用いる「関係」の意味について、シンプルに「主体」と「客体（対象）」との関係を指すものであると述べている。諸個人の行動が相互に、あるいはなんらかの素材と関係することによって美的対象としての形式が生み出されるというブリオーの理論は、「主体」と「客体」はそれぞれ自体として自律的に存在するのではなく、相互に関係することを通じて互いを動的に編成するものであるという思考に基づいている。主体と客体の動的編成、あるいは人間と対象（もの）の間の移行のイメージは、「関係性の美学」の後にもブリオーの主要な関心であり続けているようだ。

＊

本書『関係性の美学』はブリオーによる最初の芸術理論に関する著作であるが、日本語訳の刊行としては『ラディカント　グローバリゼーションの美学に向けて』（武田宙也訳、フィルムアート社、二〇二二年）が先行する形となった。これはひとえに訳者の怠慢によるもので、順序が前後してしまったことは、読者の皆様には本当に申し訳なく思っている。本書の出版を機に改めて両書に関する議論が活性化することを期待したい。

本書の刊行は山田聖子氏の協力と、最初に出版のお声がけをいただいた元水声社の中村健太郎氏との出会いがなければ、実現していなかった。またこの仕事をやり遂げることができたのは中村氏の後を受け編集を担当していただいた水声社の神社美江氏が遅々として進まない作業を辛抱強くお待ちいただいたおかげである。記して感謝したい。

二〇二三年九月十九日

辻憲行

著者／訳者について——

ニコラ・ブリオー（Nicolas Bourriaud）　一九六五年生まれ。キュレーター・批評家。パレ・ド・トーキョー共同館長（一九九九―二〇〇六）、テート美術館でグルベンキアン・キュレーター（二〇〇八―一〇）、エコール・デ・ボザール（パリ）学長（二〇一一―二〇一五）、モンペリエ現代アートセンター館長（二〇一六―二〇二一）を歴任。現在は、キュレーター・コレクティヴ「ラディカンツ」のコアメンバーとして活動。『アートに関する記録』誌の共同創刊者であり、編集長を務めた（一九九二―二〇〇〇）。主な著書に、『ラディカント　グローバリゼーションの美学に向けて』（武田宙也訳、フィルムアート社、二〇二二）、*L'Ère tertiaire* (Flammarion, 1997)、*Formes de vie. L'art moderne et l'invention de soi* (Denoël, 1999)、*Postproduction* (Sternberg Press, 2002)、*La Exforma* (Adriana Hidalgo Editora, 2015)、*Inclusions. Esthétique du capitalocène* (PUF, 2021) などがある。

＊

辻憲行（つじのりゆき）　一九七〇年生まれ。山口大学大学院人文科学研究科美学美術史専攻修了。一九九八年から二〇〇六年にかけて、秋吉台国際芸術村（山口県）にてレジデンス、展覧会、WS、セミナーなどの企画・運営を行なう。二〇〇八年、東京都写真美術館にて第一回恵比寿映像祭のキュレーター、二〇〇九年から二〇一〇年まで同館学芸員を務める。主な企画展（共同企画も含む）に、「アート・イン・ザ・ホーム」（二〇〇一）、「チャンネル0」（二〇〇四）、「トランスフォーマー」（二〇〇五）、第一回／第二回恵比寿映像祭（二〇〇九／二〇一〇）、藤城嘘個展「キャラクトロニカ」、「ワールド・ピクチュア」（二〇一三）などがある。

装幀——宗利淳一

関係性の美学

二〇二四年一月一〇日第一版第一刷発行　二〇二四年四月三〇日第一版第二刷発行

著者――――ニコラ・ブリオー

訳者――――辻憲行

発行者――――鈴木宏

発行所――――株式会社水声社

東京都文京区小石川二―七―五　郵便番号一一二―〇〇〇二

電話〇三―三八一八―六〇四〇　FAX〇三―三八一八―二四三七

［**編集部**］横浜市港北区新吉田東一―七七―一七　郵便番号二二三―〇〇五八

電話〇四五―七一七―五三五六　FAX〇四五―七一七―五三五七

郵便振替〇〇一八〇―四―六五四一〇〇

URL : http://www.suiseisha.net

印刷・製本――――ディグ

ISBN978-4-8010-0782-6